D1166197

Même le livre se transforme !
Faites défiler rapidement
les pages et regardez...

Déjà parus dans la série

ANIMORPHS

1. L'invasion
2. Le visiteur
3. L'affrontement
4. Le message

Pour en savoir plus,
rendez-vous à la p. 222

K. A. Applegate

L'INVASION

Traduit de l'américain
par Noël Chassériau

Les éditions Scholastic

Pour Michael

Données de catalogage avant publication (Canada)

Applegate, Katherine
L'invasion

(Animorphs)
Publié aussi en anglais sous le titre : The invasion.
ISBN 0-590-12354-8

I. Chassériau, Noël. II. Titre. III. Collection.
PZ23.A6485In 1997 j813'.54 C97-931500-X

Édition publiée par Les éditions Scholastic, 123, Newkirk Road, Richmond Hill (Ontario) Canada L4C 3G5.

4 3 2 1 Imprimé en France 7 8 9 / 9

CHAPITRE 1

Je m'appelle Jake. C'est mon prénom, évidemment. Je ne peux pas vous dire mon nom de famille, ce serait trop dangereux. Les Contrôleurs sont partout. Absolument partout. Et s'ils connaissaient mon identité, ils me trouveraient aussitôt, ainsi que mes amis, et... eh bien, je n'ai pas envie qu'ils me trouvent. Le sort de ceux qui leur résistent est trop horrible pour qu'on en parle.

Je ne vous dirai même pas où je vis. Il va falloir me croire sur parole si je vous affirme qu'il s'agit d'un endroit bien réel, d'une vraie ville. Peut-être même de votre ville.

J'écris ceci pour que davantage de gens soient au courant. Cela permettra peut-être à l'espèce humaine de survivre jusqu'à ce que les Andalites reviennent pour nous sauver, comme ils l'ont promis.

Peut-être.

Je menais une existence normale. Enfin, jusqu'à ce fameux vendredi soir où je me baladais dans le centre-ville avec Marco, mon meilleur ami. On fouinait dans la boutique qui vend des tas de bandes dessinées puis on a été jouer aux jeux vidéo. La routine, quoi.

Marco et moi, on s'était trouvés à court de monnaie alors qu'il avait plein de points d'avance. En général, on est aussi forts l'un que l'autre. Ayant une Sega à la maison, je peux m'entraîner tant que je veux, mais Marco a un flair terrible pour trouver les astuces des jeux et prévoir les pièges. Si bien qu'il lui arrive parfois de me battre.

J'avais peut-être manqué de concentration. Mais ça n'avait pas vraiment été mon jour à l'école. J'avais essayé de me qualifier pour faire partie de l'équipe de basket et je n'y étais pas parvenu.

Pas de quoi en faire une histoire, mais Tom – c'est mon frère aîné – était la vedette de l'équipe junior, et comme il est maintenant le meilleur marqueur de l'équipe senior, tout le monde s'attendait à ce que je me qualifie sans problème dans les juniors. Ce qui n'avait pas été le cas.

Ce n'était pas un drame, mais je ne pouvais pas

m'empêcher d'y penser. Ces derniers temps, on ne se voyait plus tellement, Tom et moi. Bien moins qu'avant. Alors je m'étais dit que si j'occupais son ancienne place dans l'équipe...

Bref, on n'avait plus de pièces et on s'apprêtait à rentrer chez nous quand on est tombés sur Tobias. Tobias était... enfin, je suppose qu'il est toujours, un drôle de type. Il était nouveau à l'école, et comme il n'était pas spécialement costaud, il se faisait pas mal bizuter.

La première fois que j'avais vu Tobias, il était à quatre pattes, la tête plongée dans la cuvette des toilettes. Deux grands le tenaient et s'amusaient à tirer la chasse d'eau, ce qui mouillait toutes ses mèches blondes. J'avais repoussé ces deux brutes et, depuis ce jour-là, Tobias me considérait comme son ami.

– Quoi de neuf ? fit Tobias.

Je haussai les épaules.

– Pas grand-chose. On rentre.

– On n'a plus de pièces, ajouta Marco. Il y a des gens qui ne se rappelleront jamais que le Sleaze Troll apparaît toujours juste après qu'on a traversé le fjord inférieur, si bien qu'à tous les coups, ils perdent la partie... et nos sous, conclut Marco en pointant le doigt dans ma direction, au cas où Tobias n'aurait pas saisi de quels gens il s'agissait.

– Alors, je pourrais peut-être rentrer avec vous, les gars, proposa Tobias.

J'acquiesçai. Pourquoi pas ?

On se dirigeait vers la sortie quand j'aperçus Rachel et Cassie. Rachel est plutôt jolie. Bon, d'accord, je dois avouer qu'elle est même très jolie, mais comme c'est ma cousine, ça ne m'intéresse pas vraiment. C'est une blonde aux yeux bleus et au teint clair qui respire la santé. Elle fait partie de ces rares personnes qui savent toujours bien s'habiller et qui ont l'air de sortir d'un de ces magazines de mode qui plaisent aux filles. Elle est également très gracieuse parce qu'elle fait de la danse, bien qu'elle prétende qu'elle manque de souplesse pour être vraiment douée.

Cassie est tout le contraire. D'abord, elle est toujours en jean et en chemise à carreaux, ou en vêtements très sport. Ensuite, elle est noire, et porte le plus souvent les cheveux très courts. Elle les a eus plus longs pendant quelque temps, mais elle a fini par les recouper, ce que je préfère. Cassie est plus calme, plus posée que Rachel, comme si elle voyait les choses sous un autre angle, plus mystique.

J'ai une affection certaine pour Cassie. Quelquefois, on s'assoit l'un à côté de l'autre dans le car scolaire, bien que je ne sache jamais quoi lui dire.

– Vous rentrez chez vous ? demandai-je à Rachel. Vous ne devriez pas traverser le chantier toutes seules, ce n'est pas un endroit pour les filles.

C'était la gaffe. Jamais je n'aurais dû insinuer que Rachel pouvait être délicate ou fragile. Elle ressemble peut-être à une petite-demoiselle-mannequin-pour-la-jeunesse, mais elle se prend pour une terreur.

– Tu comptes nous protéger, Superman ? demanda-t-elle. Tu nous crois sans défense parce que…

– Je serais contente qu'ils nous accompagnent, l'interrompit Cassie. Je sais que tu n'as peur de rien, Rachel, mais ce n'est pas mon cas.

Rachel n'avait plus rien à ajouter. Cassie est comme ça : elle trouve toujours le mot juste qui évite toute dispute sans vexer personne.

Nous voilà donc partis tous les cinq, Marco, Tobias, Rachel, Cassie et moi. Cinq promeneurs ordinaires qui rentrent chez eux.

Parfois, je songe à ces derniers instants où nous étions des adolescents comme les autres. Cela

semble remonter à un million d'années, comme s'il s'agissait de personnes totalement différentes. Vous savez ce qui me tracassait, à ce moment-là ? D'annoncer à Tom que je ne m'étais pas qualifié pour l'équipe de basket. L'avenir n'avait rien de plus angoissant.

Cinq minutes plus tard, il le devint infiniment plus.

Pour rentrer chez nous depuis le centre-ville, on peut prendre le chemin le plus sûr, ce qui oblige à faire un grand détour, ou alors couper par le chantier de construction abandonné en espérant qu'aucun criminel maniaque n'y rôde. Mes parents m'ont juré qu'ils me priveront de sortie jusqu'à ma vingtième année si jamais ils apprennent que je l'ai traversé.

Cette menace ne nous empêcha pas de pénétrer dans le chantier abandonné. Il couvre une surface importante, bordée d'arbres sur deux côtés et séparée du centre-ville par le boulevard. C'est un endroit très isolé car un vaste terrain vague s'étend entre le chantier et les maisons les plus proches.

A l'origine, c'était censé devenir un centre commercial. Maintenant, ce n'était plus qu'un ensemble de bâtisses inachevées ressemblant à une ville fantôme parsemée de monceaux de poutrelles rouillées, de pyramides d'énormes tuyaux de ciment, de monticules de déchets, de fosses remplies d'eau croupie et d'une grue grinçante que j'avais escaladée un jour contre l'avis de Marco qui était resté en bas et m'avait traité d'idiot.

C'était un lieu totalement désert, plein d'ombres et de bruits qui vous faisaient dresser les cheveux sur la tête. Lorsque Marco et moi nous y rendions dans la journée, nous y trouvions toujours un tas de cannettes de bière et de bouteilles vides et, comme nous découvrions parfois les cendres de petits feux de camp dans les recoins des bâtiments, nous savions que l'endroit était fréquenté la nuit. Je pensais à tout cela pendant que nous traversions le chantier.

Ce fut Tobias qui l'aperçut le premier. Il marchait le nez en l'air en observant les étoiles. Tobias est parfois comme ça : perdu dans ses pensées. Il s'arrêta brusquement, un doigt tendu vers le ciel.

– Regarde, me dit-il.

– Regarde quoi ? demandai-je.

Ce n'était pas le moment de me déranger, parce que j'étais à peu près certain d'avoir entendu un tueur à la tronçonneuse se faufiler derrière nous.

– Regarde, c'est tout, me répondit Tobias d'une drôle de voix, mi-sérieuse, mi-étonnée.

Alors je levai les yeux, et c'était là : une brillante lumière blanc-bleu striant le ciel, d'abord très vite, trop vite pour être un avion, puis de plus en plus lentement.

– Qu'est-ce que c'est ?

Tobias secoua la tête.

– Je ne sais pas.

Je regardai Tobias et Tobias me regarda. On avait tous les deux la même idée, mais on ne voulait pas la dire, de peur que Marco et Rachel se moquent de nous.

Cassie, elle, n'hésita pas.

– Une soucoupe volante ! s'écria-t-elle.

CHAPITRE 2

– Une soucoupe volante ? s'esclaffa Marco, mais il cessa de rire lorsqu'il leva les yeux.

J'entendais battre mon cœur. J'étais à la fois éberlué, excité et terrifié.

– Elle vient par ici, dit Rachel.

J'avais la bouche tellement sèche que j'eus du mal à bredouiller :

– C'est difficile à dire.

– Si, elle vient par ici, insista Rachel.

Elle a une façon très particulière de s'exprimer, comme si elle était sûre de tout ce qu'elle affirme.

Rachel avait raison. Quelle qu'elle fût, la chose se rapprochait. Et elle ralentissait. Maintenant, je distinguais bien son aspect.

– Ce n'est pas exactement une soucoupe volante, dis-je.

D'abord, ce n'était pas tellement grand : à peu près la taille d'un car de ramassage scolaire. L'avant était un bulbe renflé en forme d'œuf, suivi d'un fuselage étroit muni d'espèces d'ailes tronquées à l'extrémité desquelles étaient fixés de longs tubes projetant vers l'arrière une brillante lueur bleue.

Ce petit astronef avait l'air d'un jouet. Inoffensif, si vous préférez. Si ce n'est qu'il se terminait par une queue inquiétante, retroussée vers l'avant, dont l'extrémité semblait aussi acérée qu'une aiguille.

– Cette espèce de queue, dis-je. On dirait une arme.

– Indiscutablement, acquiesça Marco.

Le petit vaisseau continua à se rapprocher en ralentissant de plus en plus.

– Ça s'arrête, dit Rachel.

Sa voix avait la même tonalité bizarre que la mienne, un peu irréelle, comme si nous n'arrivions pas à en croire nos yeux. Ou comme si nous refusions de les croire.

– J'ai l'impression qu'il nous a repérés, dit Marco. On file ? On devrait peut-être courir à la maison chercher une caméra. Tu sais ce que ça nous rapporterait, une vidéo d'un véritable ovni ?

– Si on file, il pourrait... je ne sais pas, nous désintégrer à coups de fulgurateur, plaisantai-je. Enfin... je crois.

– Les fulgurateurs, c'est seulement dans *Star Trek*, riposta Marco en levant les yeux au ciel comme chaque fois qu'il me trouve stupide, parce que lui, évidemment, était un expert en astronefs extraterrestres.

Le vaisseau spatial s'immobilisa à une trentaine de centimètres au-dessus de nos têtes. Je sentis mes cheveux se dresser. Rachel était presque comique, avec ses longues mèches blondes hérissées dans toutes les directions. Seule Cassie paraissait normale.

– Qu'est-ce que c'est, à ton avis ? me demanda Marco.

Sa voix semblait moins assurée, moins ferme, maintenant que l'engin était tout proche. Pour être franc, je n'étais pas très fier non plus. Disons même qu'une peur panique me clouait au sol. Mais, il faut bien le reconnaître, c'était la chose la plus extraordinaire que j'aie jamais connue. Un vaisseau spatial ! Juste au-dessus de ma tête !

Quant à Tobias, il souriait, mais ça, c'est lui tout craché. Les trucs extraordinaires le laissent froid. Ce qu'il ne supporte pas, c'est le traintrain quotidien.

– Je crois qu'il va se poser, s'exclama Tobias, la

bouche fendue d'un large sourire, les yeux pétillants d'excitation et les cheveux dressés en épis.

Le vaisseau commença à descendre.

– Il vient droit sur nous ! m'écriai-je.

Si je m'étais écouté, je me serais enfui en hurlant jusqu'à la maison, je me serais jeté dans mon lit et j'aurais ramené les couvertures sur ma tête, mais j'avais conscience qu'il s'agissait d'un événement extraordinaire, stupéfiant, et que je devais y assister jusqu'au bout.

Il faut croire que les autres étaient du même avis, car personne ne bougea pendant que le vaisseau bourdonnait, rayonnait et se posait doucement sur un espace dégagé, entre les monceaux de déchets et les murs à moitié effondrés. J'aperçus des traces de brûlure sur le bulbe avant, dont le revêtement avait en partie fondu. Lorsque le vaisseau toucha le sol, ses lumières bleues s'éteignirent immédiatement et les cheveux de Rachel retombèrent sur ses épaules.

– Il n'est pas très grand, hein ? murmura Rachel.

– Trois ou quatre fois comme notre break.

– Faudrait prévenir quelqu'un, dit Marco. Parce que c'est important, vous savez ? Ce n'est pas tous les jours qu'un vaisseau spatial atterrit sur un chantier de construction. On devrait alerter la police, ou l'armée, ou le président, je ne sais pas moi... Ça nous rendrait drôlement célèbres. On passerait sûrement à la télé.

– T'as raison, approuvai-je. Faut prévenir quelqu'un.

Mais personne ne bougea. Aucun d'entre nous n'était disposé à s'éloigner de l'astronef.

– On pourrait peut-être essayer de se mettre en rapport avec lui, suggéra Rachel qui, les mains sur les hanches, observait le vaisseau comme une énigme à résoudre. Je veux dire qu'on devrait communiquer. En espérant que ce soit possible.

Tobias hocha la tête et s'avança les mains en l'air, probablement pour montrer aux occupants du vaisseau, quels qu'ils soient, qu'il n'était pas armé.

– Il n'y a pas de danger, dit-il à haute et intelligible voix. Nous ne vous ferons aucun mal.

– Vous croyez qu'ils parlent la même langue que nous ? demandai-je.

– Dans *Star Trek*, en tout cas, tout le monde la parle, répondit Cassie en riant nerveusement.

Tobias fit une nouvelle tentative.

– Sortez, s'il vous plaît. Vous ne risquez rien.

< Je sais. >

Stupeur ! Alors que j'avais indiscutablement

entendu quelqu'un dire « je sais », cela n'avait produit aucun son. Je veux dire que je l'avais entendu, mais que, en réalité, je n'avais rien entendu.

Finalement, tout cela n'était peut-être qu'un rêve. Je me tournai vers Cassie, elle se tourna vers moi, et nos regards se croisèrent. Elle aussi avait entendu. Je regardai Rachel. Elle regardait de droite et de gauche en se demandant d'où ce bruit – mais ce n'était pas un bruit – avait pu surgir. Je commençai à éprouver une sensation pénible au niveau de l'estomac.

– Tout le monde a entendu ça ? chuchota Tobias.

Nous hochâmes ensemble la tête, très lentement.

– Vous pouvez sortir ? demanda Tobias de sa voix sonore pour extraterrestres.

< Oui. N'ayez pas peur. >

– Nous n'aurons pas peur, dit Tobias.

– Parle pour toi, murmurai-je et les autres gloussèrent nerveusement.

Un trait lumineux apparut lorsqu'une porte s'ouvrit lentement dans la partie renflée du vaisseau. Figé, complètement hypnotisé, j'attendis.

L'ouverture s'agrandit, forma d'abord un croissant de lune, puis un cercle lumineux.

Et il apparut.

Ma première impression fut qu'on avait affaire à un centaure. L'extraterrestre avait une tête, des épaules et des bras à peu près humains, si ce n'est que sa peau était bleu pâle. Mais sur son ventre, un pelage mêlé de bleu et de brun recouvrait un corps de quadrupède qui aurait pu être celui d'un cerf ou d'un petit cheval.

Il pencha la tête à l'extérieur, et je constatai que même ses parties apparemment normales n'étaient pas si normales que ça. D'abord, il n'avait pas de bouche, seulement trois fentes verticales. Et puis il y avait les yeux. Deux d'entre eux occupaient la place habituelle, quoique avec une scintillante lueur verte un peu surprenante, mais ce qui était réellement surprenant, c'était les autres, situés aux extrémités d'espèces de cornes. Ces cornes étaient mobiles et permettaient d'orienter les yeux dans toutes les directions.

Ces yeux me parurent inquiétants jusqu'à ce que j'aperçoive la queue de l'extraterrestre. Épaisse et vigoureuse, elle ressemblait à celle d'un scorpion, terminée par un dard extrêmement acéré et agressivement retroussé. Elle me rappela le vaisseau spatial, apparemment anodin jusqu'à ce qu'on remarque sa queue. A première vue, l'extraterrestre paraissait assez inoffensif, lui aussi, et puis on découvrait son appendice caudal et on se disait : « Oh,oh ! ce type-là pourrait faire des dégâts si l'envie lui en prenait. »

– Bonjour, dit Tobias d'une voix suave et en souriant comme s'il s'adressait à un bébé.

Je m'aperçus que je souriais également, tout en ayant les larmes aux yeux. Je suis incapable de vous décrire ce que j'éprouvais, mais c'était comme si l'extraterrestre était quelqu'un que j'avais toujours connu, un vieil ami perdu de vue depuis très, très longtemps.

< Bonjour >, dit la voix silencieuse qu'on entendait seulement dans sa tête.

– Salut, avons-nous répondu en chœur.

A mon grand étonnement, l'extraterrestre trébucha et tomba du vaisseau. Tobias voulut le relever, mais il lui échappa et retomba sur le sol.

– Regardez ! s'écria Cassie en désignant une brûlure qui couvrait la moitié du flanc droit de l'extraterrestre. Il est blessé !

< Oui. Je suis mourant. >

– On peut vous aider ? demanda Marco. Vous voulez qu'on appelle une ambulance ?

– Nous pouvons panser cette plaie, dit Cassie.

Jake, donne-moi ta chemise. On va la déchirer pour faire des bandages.

Les parents de Cassie sont tous deux vétérinaires, et les animaux, c'est sa partie. Même si l'étranger n'était pas un animal. Pas exactement, en tout cas.

< Non, je suis perdu. Cette blessure est mortelle. >

– Non ! m'exclamai-je. Vous ne pouvez pas mourir. Vous êtes le seul extraterrestre qui ait jamais atteint la Terre. Vous ne devez pas mourir !

Je ne sais pas pourquoi j'étais si troublé, mais au fond de moi, l'idée qu'il puisse mourir me bouleversait.

< Je ne suis pas le seul. Il y en a beaucoup, beaucoup d'autres. >

– D'autres extraterrestres ? Comme vous ? demanda Tobias.

< Pas comme moi. >

Là-dessus, il poussa un gémissement de souffrance, un cri silencieux qui résonna douloureusement dans ma tête. Pendant un instant, je l'avais véritablement senti mourir.

< Pas comme moi, répéta-t-il. Ils sont différents. >

– Différents ? A quel point de vue ? demandai-je.

Toute ma vie, je me rappellerai sa réponse :

< Ils sont venus vous détruire. >

CHAPITRE 3

< Ils sont venus vous détruire. >

Curieusement, personne ne douta de sa parole. Aucun « pas question » ni « vous plaisantez ». On savait, un point c'est tout. Il était en train de mourir, et il tentait de nous avertir d'une menace terrible.

< On les appelle les Yirks. Ils sont différents de nous. Et de vous. >

– Vous voulez dire qu'ils sont déjà là, sur la Terre ? s'inquiéta Rachel.

< Beaucoup sont ici. Des centaines. Peut-être même plus. >

– Et personne ne les a repérés ? demanda logiquement Marco. On aurait dû nous parler de ça à l'école.

< Vous ne comprenez pas. Les Yirks sont différents. Ils n'ont pas de corps, comme vous et moi. Ils vivent dans les corps d'autres espèces. Ils sont… >

Je suppose qu'il ne trouva pas de mot pour décrire les Yirks, car il ferma les yeux et parut se concentrer. Soudain, j'eus un éclair. Je vis un être verdâtre, visqueux, qui ressemblait à un escargot sans coquille en plus grand, à peu près de la taille d'un rat. Ce n'était pas une image très agréable.

– Je devine qu'il s'agissait d'un Yirk, dit Marco. Ou alors, d'un très gros chewing-gum particulièrement gluant.

< En dehors d'un hôte, ils sont pratiquement désarmés. Ils... >

Brusquement, nous avons éprouvé une nouvelle sensation de douleur provenant directement de l'extraterrestre. Je ressentis également sa tristesse. Il savait que le temps lui était compté.

< Les Yirks sont des parasites. Ils ne peuvent vivre qu'à l'intérieur d'un autre organisme vivant, d'un hôte. On les appelle alors Contrôleurs. Ils pénètrent dans le cerveau et s'y incrustent en absorbant les pensées et les sensations de leur hôte. Par ce moyen, ils essaient d'amener celui-ci à accepter volontairement leur présence. C'est la solution la plus simple, car autrement l'hôte risque de résister, au moins un peu. >

– Vous prétendez qu'ils s'emparent d'êtres

humains ? demanda Rachel. De gens comme nous ? Ces créatures prennent leur corps ?

– Là, ça devient extrêmement grave, dis-je. Ce n'est pas à nous qu'il faut raconter cela. Nous ne sommes que des adolescents, vous savez. Il faudrait avertir les autorités.

< Nous espérions les arrêter, continua l'extraterrestre. Mais voilà, lorsque notre vaisseau d'exploration est sorti de l'Espace-Z, des escadrilles de leurs chasseurs, ceux que nous appelons « Cafards », nous attendaient. Nous savions que leur croiseur était dans les parages et étions prêts à affronter leurs cafards, mais les Yirks nous ont piégés : ils avaient dissimulé un puissant vaisseau, le vaisseau Amiral, dans un cratère de votre Lune. Nous avons combattu, mais... nous avons perdu. Ils m'ont poursuivi jusqu'ici et ne vont pas tarder à arriver, afin de détruire toute trace de moi et de mon astronef. >

– Comment s'y prendront-ils ? interrogea Cassie.

L'extraterrestre parut sourire avec ses yeux.

< Leurs rayons Dracon ne laisseront subsister que quelques molécules de cet engin et... de ce corps, dit-il. J'ai envoyé un message sur ma planète. Nous autres Andalites, nous combattons les Yirks partout

où ils vont, dans tout l'univers. Les miens enverront des secours, mais cela peut prendre un an, peut-être davantage et, alors, les Yirks auront déjà pris le contrôle de cette planète et il sera trop tard. Il faut que vous alertiez les vôtres. Vous devez les mettre en garde ! >

Un nouveau spasme de douleur le déchira, et nous avons tous compris que sa fin était proche.

– Personne ne nous croira, soupira Marco et il me regarda en secouant la tête. C'est perdu d'avance.

Il avait raison. Si les Yirks faisaient disparaître le vaisseau spatial et l'Andalite, comment pouvions-nous espérer convaincre qui que ce soit ? On nous prendrait pour des farceurs ou, pire encore, pour des fous.

– Peu importe, remarqua Rachel. S'il pense qu'il va mourir, il faut essayer de l'aider. On peut le faire transporter à l'hôpital. A moins que les parents de Cassie…

< Trop tard, dit l'Andalite, dont les yeux brillèrent soudain. A moins que… >

– Que quoi ?

< Montez dans mon vaisseau. Vous verrez une petite boîte bleue. Apportez-la-moi. Vite ! Il me reste très peu de temps à vivre, et les Yirks ne vont pas tarder à me retrouver. >

Nous nous sommes regardés. Lequel d'entre nous pénétrerait dans le vaisseau spatial ? Finalement, tout le monde décida que ce serait moi. Tout le monde sauf moi.

– Vas-y, me dit Tobias. Moi, je reste auprès de lui.

Il s'agenouilla à côté de l'Andalite et posa une main secourable sur l'épaule étroite de l'extraterrestre.

Je regardai la porte du vaisseau spatial et me tournai vers Cassie.

– Vas-y, fit-elle en me souriant. Tu n'as pas peur.

Là, elle se trompait. J'étais mort de trouille. Mais vu la façon dont elle me souriait, pas question de me dégonfler.

Je m'approchai de la porte de l'astronef et jetai un coup d'œil à l'intérieur. C'était d'une surprenante simplicité et semblait presque intime. Tout était blanc crème, avec des angles arrondis et des formes plus ou moins ovales. Ce fut en partie pour cela que je repérai aussi facilement la boîte, qui était bleu ciel et cubique. D'une dizaine de centimètres de côté, elle paraissait curieusement lourde pour sa petite taille.

J'entrai dans le vaisseau. Il n'y avait pas de siège, seulement un espace dégagé où je supposai que l'Andalite se tenait sur ses quatre sabots pour manœuvrer les quelques manettes. Pas de tableau de bord compliqué avec des tonnes de boutons. Je me demandai si l'Andalite dirigeait l'engin par télépathie.

J'allai rapidement chercher la boîte mais, au moment de repartir, quelque chose retint mon attention. C'était une petite photo en relief sur laquelle quatre Andalites à l'air solennel se tenaient côte à côte. Deux d'entre eux étaient nettement plus petits, des enfants visiblement, et je compris qu'il s'agissait de la famille de l'Andalite.

Cela m'attrista profondément de penser qu'il était en train de mourir à des millions de kilomètres des siens. De mourir parce qu'il avait essayé de sauver les Terriens. Je ressentis une bouffée de colère contre les Yirks ou les Contrôleurs, ou je ne sais quoi, qui en étaient responsables.

Je retournai auprès de mes amis.

– Voilà la boîte, dis-je à l'Andalite.

< Merci. >

– Est-ce que... euh... c'est votre famille, sur la photo ?

< Oui. >

– Je suis vraiment désolé, balbutiai-je, mais qu'aurais-je pu dire d'autre ?

< Il y a une chose que je peux peut-être faire pour vous aider à combattre les Yirks. >

– Laquelle ? demanda Rachel.

< Je sais que vous êtes jeunes. Je sais que vous n'êtes pas de taille à résister aux Contrôleurs. Mais je peux vous doter d'un pouvoir susceptible de vous être utile. >

Nous nous sommes tous regardés avec perplexité, sauf Tobias dont les yeux restèrent fixés sur l'extraterrestre.

< Si vous le désirez, je peux vous transmettre un pouvoir qu'aucun être humain n'a jamais possédé. >

– Un pouvoir ? Quel pouvoir ?

< Il s'agit d'un procédé de la technologie andalite que les Yirks ne possèdent pas, expliqua l'extraterrestre. Une méthode qui nous permet d'explorer sans être repérés de nombreuses régions de l'univers : la capacité de morphoser. Nous n'avons jamais partagé ce pouvoir avec personne, mais votre situation est grave. >

– Morphoser ? En quoi ça consiste ? demanda Rachel en plissant les paupières.

< A changer de corps, répondit l'Andalite. A devenir une autre espèce. N'importe quel animal. >

Marco ricana ironiquement. C'est un sceptique.

– Devenir des animaux ?

< Il vous suffira de toucher une créature, d'acquérir son patrimoine génétique, son ADN, pour devenir cette créature. Cette mutation exige de la concentration et de la volonté, mais vous pouvez y parvenir. Il existe... certaines règles à respecter, des difficultés, voire des dangers, mais je n'ai pas le temps de tout vous expliquer. Il faudra les découvrir par vous-mêmes. Mais d'abord, souhaitez-vous acquérir ce pouvoir ? >

– C'est une blague, hein ? me demanda Marco.

– Non, dit doucement Tobias. Ce n'est pas une blague.

– Mais c'est dingue, reprit Marco. Toute cette histoire est dingue. Les Yirks, les vaisseaux spatiaux, les types qui s'emparent des cerveaux d'autres personnes, les Andalites et leur pouvoir de se transformer en animaux ? Arrête, tu veux.

– Ouais, avouai-je, c'est hyper bizarre.

– Là, on dépasse le domaine de la bizarrerie, continua Rachel. Mais si nous ne sommes pas tous en train de rêver, je crois qu'on devrait accepter la réalité.

– Il est mourant, nous rappela Tobias.

– Moi, je marche, dit Cassie.

Cela me surprit, car Cassie prend habituellement ses décisions moins rapidement, mais je supposai que, comme Tobias, elle sentait que l'Andalite disait la vérité.

– Il me semble que notre décision devrait être collective, suggérai-je. Dans un sens ou dans l'autre.

– Qu'est-ce que c'est que ça ? demanda Rachel.

Elle avait la tête levée vers les étoiles. Loin, très loin, deux points lumineux rouge vif traversaient la voûte céleste.

< Les Yirks. >

La réponse de l'Andalite retentit dans nos esprits, et nous avons senti la haine qu'il éprouvait.

CHAPITRE 4

< Les Yirks ! >

Les lumières rouges ralentirent, décrivirent un cercle et repartirent dans notre direction.

< On ne peut plus attendre. Vous devez vous décider immédiatement ! >

– Il faut le faire, dit Tobias. Sinon, comment pourrions-nous lutter contre les Contrôleurs ?

– C'est complètement hallucinant ! s'exclama Marco. Hallucinant.

– J'aimerais prendre le temps d'y réfléchir, remarqua Rachel, mais c'est impossible. Je suis pour.

– Qu'en penses-tu, Jake, me demanda Cassie.

Je me retrouvais vraiment dans une situation étrange, comme si, brusquement, j'étais celui qui devait décider pour tout le monde.

Je levai les yeux vers les vaisseaux yirks. Comment

l'Andalite les avait-il appelés ? Des Cafards ? Ils tournaient dans le ciel comme des chiens flairant une piste. Je regardai l'Andalite et me rappelai la photo de sa famille. Saurait-elle jamais ce qu'il était devenu ?

J'examinai chacun de ceux qui m'entouraient : Marco, mon meilleur ami, souvent drôle, parfois énervant ; ma cousine Rachel, intelligente, jolie, sûre d'elle ; et Cassie qui, comme chacun le savait, s'intéressait davantage aux animaux qu'à la plupart de ses semblables.

Finalement, je regardai Tobias, et j'éprouvai alors une curieuse sensation. Une sorte de frisson.

– Il faut le faire, insista Tobias.

Je hochai lentement la tête.

– Oui, on n'a pas le choix.

< Alors, posez chacun une main sur l'un des côtés du cube. >

Ce que nous avons fait : cinq mains sur cinq des faces et une sixième, différente, avec trop de doigts, sur la dernière.

< N'ayez pas peur >, nous rassura l'Andalite.

J'eus l'impression de recevoir une espèce de décharge, mais agréable. Un picotement qui me fit presque rire.

< Partez, maintenant. Mais n'oubliez jamais que vous ne devez pas rester sous une forme animale pendant plus de deux heures de votre temps terrestre. Sous aucun prétexte ! C'est le plus grave danger de l'animorphe ! Passé deux heures, vous seriez prisonniers, incapables de retrouver votre forme humaine. >

– Deux heures, répétai-je.

Soudain, une peur nouvelle envahit le cerveau de l'Andalite. Relié à lui comme je l'étais, je sentis une vague d'épouvante remonter mon épine dorsale. Ses yeux principaux étaient fixés sur le ciel. Il y avait autre chose là-haut, entre les deux Cafards.

< Vysserk Trois ! Il arrive ! >

– Qu'est-ce qui se passe ? bredouillai-je, tout tremblant de cette terreur nouvelle. C'est quoi, un Vysserk ? Qui c'est, ce Vysserk ?

< Partez, sauvez-vous ! Vysserk Trois est là. C'est le plus dangereux de vos ennemis. De tous les Yirks. Le seul qui a le pouvoir de morphoser, ce pouvoir que vous possédez maintenant. Fuyez ! >

– Non, on reste avec vous, déclara fermement Rachel. On pourra peut-être vous sauver.

A nouveau, l'extraterrestre sembla nous sourire avec ses yeux.

< Non, vous devez vous sauver, vous. Sauvez votre peau et sauvez votre planète ! Les Yirks sont là. >

Nous avons tous levé la tête. Indiscutablement, les deux points rouges fonçaient sur nous. Et ils avaient été rejoints par un troisième vaisseau, beaucoup plus volumineux et noir comme l'ombre d'une ombre.

– Mais comment sommes-nous censés combattre ces... ces Contrôleurs ? s'inquiéta Rachel.

< Vous trouverez un moyen. Maintenant, filez ! >

Cet ordre était si impérieux que je sursautai.

– Il a raison ! m'écriai-je. Filons !

Nous nous sommes mis à courir. Sauf Tobias, qui s'accroupit à côté de l'Andalite et lui prit la main. L'Andalite posa son autre main sur la tête de Tobias, qui fut rejeté en arrière comme s'il avait reçu une décharge. Aussitôt relevé, il s'enfuit avec nous en trébuchant sur les décombres et les nids de poule du chantier de construction.

Un rayon rouge éblouissant jaillit de l'un des Cafards, illuminant l'Andalite étendu sur le sol et son vaisseau. Un deuxième rayon jaillit du second chasseur, et l'Andalite devint aussi brillant qu'une étoile.

Je me jetai à terre. Voyant qu'une de mes jambes était exposée dans le cercle du projecteur, je la ramenai vivement sous moi et rampai frénétiquement en m'écorchant coudes et genoux sur les cailloux tranchants du chantier.

Nous nous sommes blottis tous les cinq derrière un muret croulant, n'osant pas faire un geste, n'osant pas regarder, mais n'osant pas davantage détourner les yeux.

Les Cafards descendirent lentement. La raison pour laquelle ils avaient été surnommés ainsi était évidente. A peine plus grands que l'astronef andalite, ils ressemblaient à de gros insectes sans pattes dont la tête protubérante, percée de petits hublots semblables à des yeux, était flanquée de deux lances dentelées très longues et très acérées.

Les chasseurs yirks se posèrent de part et d'autre du vaisseau andalite.

– Bon, vous pouvez me réveiller, chuchota Marco. J'en ai vraiment assez de ce rêve.

Le gros vaisseau commença à descendre lui aussi. Je ne sais pas ce qu'il avait de spécial, mais lorsqu'il se rapprocha, j'eus l'impression d'étouffer. J'essayai d'aspirer une bouffée d'air, mais sans succès. Je tentai de fuir, mais mes jambes étaient toutes molles. Jamais de ma vie je n'avais eu aussi peur. La terreur

qui me faisait trembler était celle qu'avait éprouvée l'Andalite en voyant arriver Vysserk Trois.

L'astronef descendit vers le sol. Nous avons cru qu'il allait se poser sur une grosse pelleteuse rouillée abandonnée sur le chantier, mais lorsqu'il atterrit, l'engin grésilla et disparut.

Le vaisseau de Vysserk Trois ressemblait à une arme de l'ancien temps. Il me fit penser aux haches d'armes avec lesquelles les chevaliers moyenâgeux décapitaient leurs adversaires. La partie centrale, qui était comme le manche de la hache, aboutissait à une grosse pointe triangulaire qui devait être la carlingue. L'arrière était muni de deux énormes ailes recourbées en forme de cimeterres. Le tout était huit ou dix fois plus volumineux que les Cafards.

Le vaisseau Amiral atterrit. Une porte s'ouvrit.

Cassie faillit hurler, mais je lui plaquai ma main sur la bouche.

Les créatures qui sortirent du vaisseau en tourbillonnant, en tournoyant et en cisaillant le vide avaient l'air d'armes ambulantes. Dressées sur deux pattes pliant vers l'arrière, elles avaient deux très longs bras dont les coudes et les poignets portaient des ergots tranchants. D'autres lames garnissaient leurs genoux courbés et l'extrémité de leur queue. Leurs pieds étaient ceux d'un tyrannosaure.

Mais ce fut leur tête qui retint notre attention : un cou de serpent, une bouche en bec de faucon et, sur le front, trois cornes semblables à des poignards braqués vers l'avant.

< Hork-Bajirs-Contrôleurs. >

Je sursautai en entendant l'Andalite parler à nouveau dans ma tête. Les mots étaient plus faibles et très las, comme s'ils venaient de très loin.

– Vous avez entendu ? demandai-je.

– Ouais, acquiesça Rachel.

< Les Hork-Bajirs sont de braves créatures, en dépit de leur aspect terrifiant, expliqua l'Andalite, mais ils ont été asservis par les Yirks. Chacun d'eux transporte maintenant un Yirk dans sa tête. Il faut avoir pitié d'eux. >

– Pitié, grogna Rachel. C'est plus facile à dire qu'à faire. Regardez-les ! Ce sont de vraies machines à tuer.

Mais notre attention fut détournée par une nouvelle forme de vie qui sortait du vaisseau Amiral en rampant, en glissant et en tremblotant.

< Taxxons-Contrôleurs >, dit l'Andalite.

Je compris qu'il essayait de nous en apprendre le plus possible jusqu'à la fin, de nous préparer à ce que nous allions affronter.

< Les Taxxons sont malfaisants. >

– Ouais, murmura Marco. Je crois que je l'aurais deviné.

Ils ressemblaient à de gros mille-pattes, deux fois plus grands qu'un homme adulte et si massifs que pour en étreindre un, il aurait fallu avoir les bras deux fois plus longs. Mais une telle idée ne serait venue à personne.

Les deux tiers inférieurs de leur corps reposaient sur des douzaines de pattes. Le tiers supérieur se dressait à la verticale, et là les pattes devenaient plus menues, avec des petites mains en pince de homard.

Au sommet de leur répugnant corps cylindrique, il y avait quatre yeux, des globules de tremblotante gelée rouge, et une bouche ronde qui découvrait des centaines de dents minuscules.

Hork-Bajirs et Taxxons débarquèrent du vaisseau Amiral et se postèrent tout autour comme des commandos bien entraînés. Chacun d'eux tenait un objet de la taille d'un pistolet, qui était manifestement une arme.

Ils formèrent ensuite un cercle autour de l'Andalite et de son astronef.

Soudain, l'un des Hork-Bajirs se dirigea droit vers nous. Un seul grand pas bondissant l'amena pratiquement sur nous.

Je me tassai sur le sol comme si c'était mon ultime espoir. J'aurais voulu pouvoir y creuser un trou. J'entrevis le visage de Marco. Il avait les yeux écarquillés et les lèvres tirées en arrière par ce qui aurait pu être un sourire, mais je compris que c'était l'expression de la terreur absolue.

CHAPITRE 5

L'Hork-Bajir braqua son arme sur les ténèbres environnantes. Sa tête de serpent pivotait en tout sens, essayant de percer l'obscurité.

< Silence ! avertit l'Andalite. Les Hork-Bajirs voient mal la nuit, mais ils ont l'ouïe très fine. >

L'Hork-Bajir s'approcha encore. Il était maintenant à moins de deux mètres, séparé de nous seulement par le muret. Il avait dû entendre les battements de mon cœur. Peut-être n'identifiait-il pas les bruits émis par cinq adolescents terrifiés dont les genoux s'entrechoquaient et les dents claquaient. Des adolescents qui haletaient plus qu'ils ne respiraient.

J'étais persuadé que j'allais mourir d'une seconde à l'autre. J'imaginais la façon dont ces horribles lames me détacheraient la tête du corps.

Si vous n'avez jamais vraiment connu la peur, je

peux vous dire que ça vous change complètement. Ça s'empare de votre esprit et de votre corps. Vous avez envie de hurler. Vous avez envie de fuir. Vous avez envie de faire pipi dans votre pantalon. Vous avez envie de tomber à genoux et de pleurer, et de supplier : « S'il vous plaît, je vous en supplie, je vous en supplie, par pitié, ne me tuez pas ! »

Et si vous vous croyez brave, eh bien attendez d'être planqué aux pieds d'un monstre susceptible de vous transformer en chair à saucisse en moins de deux.

Mais, à ce moment-là, la voix de l'Andalite retentit à nouveau dans ma tête :

< Courage, mes amis. >

Et cette... cette chaleur... cette... je ne trouve pas le mot juste, mais cette espèce de tendresse se répandit en moi, elle m'envahit comme quand j'étais petit, que j'avais fait un affreux cauchemar et que je me réveillais en larmes. Vous vous souvenez à quel point on se sentait réconforté quand l'un de nos parents allumait la lumière et venait s'asseoir au pied de notre lit ? Eh bien, c'était exactement ce que je ressentais. Je veux dire que j'étais encore terrifié. L'Hork-Bajir était toujours là, aussi réel et aussi dangereux. Je l'entendais respirer, je reniflais son odeur. Mais, en même temps, je sentais ma panique se calmer. Je sentais la force émanant de l'Andalite condamné. Il nous transmettait un peu de son courage, alors qu'il devait avoir aussi peur que nous.

L'Hork-Bajir s'éloigna. Il y avait du nouveau dans le vaisseau Amiral.

Tremblant et claquant des dents, je me redressai suffisamment pour jeter un coup d'œil par-dessus le muret. Tous les Hork-Bajirs et tous les Taxxons étaient maintenant tournés vers le vaisseau.

– Ils sont tous au garde-à-vous, murmurai-je.

– Comment le sais-tu ? chuchota Marco. Qu'est-ce qui te permet de dire qu'un mille-pattes aux yeux rouges ou un Hachoir à pattes est au garde-à-vous ?

Et il apparut.

< Vysserk Trois >, annonça l'Andalite.

Vysserk Trois était lui aussi un Andalite. Ou, plus exactement, un Andalite-Contrôleur.

– Qu'est-ce que ça veut dire ? dit Rachel. Vysserk est un Andalite ?

< Un seul Yirk est parvenu à s'emparer du corps d'un Andalite. Il n'existe qu'un Andalite-Contrôleur : c'est Vysserk Trois. >

Vysserk Trois se dirigea avec assurance vers l'Andalite blessé. Ils étaient si semblables que rien, à première vue, ne les distinguait l'un de l'autre. Même tête sans bouche, même yeux pivotants, même corps quadrupède à la fois puissant et élégant, et même queue menaçante.

Mais si Vysserk Trois ressemblait à n'importe quel Andalite, on le sentait néanmoins différent, comme s'il portait un masque dont l'aspect agréable dissimulait quelque chose de malfaisant, de répugnant.

< Eh bien ça, alors >, dit Vysserk Trois.

Je faillis avoir une syncope en réalisant que j'entendais ses pensées.

– Il peut vraiment entendre ce qu'on pense ? chuchota Cassie.

– Si c'est le cas, on est tellement morts que ça ne vaut plus la peine de se poser la question, lui répondit Rachel.

< Il ne peut entendre vos pensées que si vous les dirigez vers lui, les rassura l'Andalite. Si vous percevez les siennes, c'est parce qu'il les émet de façon à être entendu de tous. Pour lui, c'est une grande victoire, et il tient à ce que cela se sache. >

< Qu'est-ce que nous avons là ? Un Andalite égaré ?

reprit Vysserk Trois en examinant de plus près le vaisseau andalite. Ah, mais pas n'importe quel Andalite. Si je ne m'abuse, ce guerrier est le prince Elfangor-Sirinial-Shamtul. Cette rencontre est un honneur pour moi. Vous êtes une légende. Combien de nos vaisseaux avez-vous détruits avant que la bataille ne prenne fin ? Sept ? Huit ? >

L'Andalite ne répondit pas, mais j'eus l'impression qu'il devait s'agir de plus de huit.

< Le dernier Andalite dans ce secteur de l'espace. Oui, en effet, je crains que votre vaisseau d'exploration n'ait disparu à tout jamais. Je l'ai vu brûler en pénétrant dans l'atmosphère de cette petite planète. >

< Il en viendra de nombreux autres >, affirma le prince andalite.

Vysserk Trois se rapprocha d'un pas.

< Ce monde sera à moi. Ma contribution personnelle à l'empire des Yirks. Notre plus belle conquête. Et, ce jour-là, je serai Vysserk Un. >

< A quoi les Humains pourraient donc bien vous servir ? demanda l'Andalite. Les Taxxons sont déjà vos alliés, les Hork-Bajirs vos esclaves, et vous avez d'autres esclaves dans d'autres mondes. Pourquoi ces gens-là ? >

< Parce qu'ils sont si nombreux et si faibles, ricana Vysserk Trois. Des milliards de corps ! Et ils ne se rendent compte de rien. Avec tous ces hôtes, nous pourrons nous répandre dans l'univers entier, invincibles ! Par milliards ! La construction d'un millier d'autres Bassins yirks produira à peine assez de Yirks pour la moitié de ces corps. Regardez les choses en face, Andalite. Vous vous êtes bien battus, courageusement, mais vous avez perdu. >

Vysserk Trois s'avança jusqu'à l'Andalite. Je sentis combien celui-ci avait peur mais, plutôt que de capituler, il lutta contre la douleur provoquée par sa blessure et se releva. Il se savait condamné et voulait mourir debout, en regardant son ennemi en face.

Mais Vysserk Trois n'avait pas fini d'accabler son adversaire de ses sarcasmes.

< Je vais vous faire un serment, prince Elfangor : quand nous serons maîtres de cette planète et de sa riche moisson de corps, nous nous attaquerons au monde des Andalites. Je rechercherai votre famille, et je veillerai personnellement à ce que ses membres soient habités par mes plus fidèles lieutenants. J'espère que les vôtres résisteront et que j'entendrai hurler leurs cerveaux. >

L'Andalite frappa ! Sa queue cingla, si rapide qu'elle était pratiquement invisible. Vysserk Trois tourna la tête. La queue tranchante manqua son but d'un centimètre à peine, mais lui entailla l'épaule. Du sang – ou un liquide ressemblant à du sang – jaillit de la plaie.

– Bravo ! chuchotai-je.

< Aaaaaarrrrrgh ! > résonna dans ma tête le cri de douleur de Vysserk Trois.

Au même instant, un aveuglant rayon de lumière bleue fusa de l'arrière du vaisseau andalite et coupa en deux le Cafard le plus proche. Hork-Bajirs et Taxxons se dispersèrent.

Bien que tapi derrière le muret, je sentis une vague de chaleur torride. Le Cafard grésilla et disparut.

< Tirez ! Tirez ! hurla Vysserk Trois. Brûlez donc son vaisseau ! >

Une lumière éblouissante fit exploser la nuit. Des rayons rouges jaillirent du vaisseau Amiral et du Cafard restant. Le vaisseau andalite s'embrasa et, avec une curieuse lenteur, se désintégra.

Dans l'étincellement des rayons Dracons, je vis alors – ou je crus voir – des êtres humains. Un petit groupe de trois ou quatre hommes se tenait dans l'ombre, derrière Vysserk Trois.

– Il y a des gens là-bas, dis-je à Marco.

– Qui sont-ils ? Des prisonniers ?

< Emparez-vous de l'Andalite, ordonna Vysserk Trois à ses soldats. Maîtrisez-le. >

Trois grands Hork-Bajirs empoignèrent l'Andalite et le plaquèrent au sol. Leurs lames de poignet étaient posées sur sa gorge, mais ils ne cherchaient pas à le tuer : ce serait le privilège de Vysserk Trois.

A ce moment-là, nous avons compris pourquoi un Yirk aussi puissant que Vysserk Trois s'était logé dans le corps du seul Andalite jamais capturé vivant. Sous nos yeux, il commença à morphoser.

Sa tête d'Andalite enfla, devint beaucoup plus volumineuse. Les quatre pattes chevalines fusionnèrent en deux, puis se dilatèrent, chacune acquérant le diamètre d'un séquoia. Les délicats bras d'Andalite s'étirèrent et formèrent des tentacules.

– Ce n'est pas vrai, murmura Cassie.

Une bouche apparut dans la tête hideusement bouffie. Elle était pleine de dents aussi longues que vos bras. Cette bouche s'élargit de plus en plus, jusqu'à former un monstrueux et terrifiant rictus.

Il ne restait rien du corps de l'Andalite. Un monstre avait pris sa place.

– Rrrrrraaaaggg !

Le rugissement de la bête qu'était devenu Vysserk Trois fit trembler le sol. Je me bouchai les oreilles.

– Rrrrraaawwwwggg !

Ce bruit me fit claquer des dents, et j'entendis quelqu'un gémir. C'était moi.

Vysserk Trois était maintenant un monstre à côté duquel Hork-Bajirs et Taxxons semblaient des jouets inoffensifs. Il allongea l'un de ses épais tentacules et saisit l'Andalite par le cou.

– Non, non, non, chuchotait inlassablement Cassie.

– Ne regarde pas, lui ordonna Rachel en la prenant dans ses bras.

Rachel se tourna ensuite vers Tobias et serra sa main. Je suppose qu'on ne connaît pas vraiment les gens avant de les avoir vus sous l'emprise de la peur. Toute terrifiée qu'elle était, ruisselante de larmes, Rachel avait pourtant encore de l'énergie à donner.

Vysserk Trois souleva l'Andalite en l'arrachant des bras des Hork-Bajirs. Le prince andalite décocha de furieux coups de queue, mais sur une telle créature, ce n'était que des piqûres d'épingle.

Vysserk Trois éleva l'Andalite en l'air, à la verticale, et ouvrit sa bouche toute grande.

CHAPITRE 6

Je ne sais pas ce qui me prit à ce moment-là. Alors que j'étais terrorisé, épouvanté, quelque chose se passa brusquement dans ma tête. Il me devint impossible de rester caché, à assister à la scène sans réagir.

– Espèce de brute…

Je me levai d'un bond, ramassai un bout de tuyau rouillé et commençai à escalader le muret.

Il faut croire que j'étais devenu fou. Il s'agissait forcément de folie, parce que je n'avais pas l'ombre d'une chance d'arriver à faire quoi que ce soit tout seul, armé seulement d'un bout de tuyau.

< Non ! >

Le cri silencieux de l'Andalite me fit hésiter.

Je sentis les mains de Marco empoigner ma chemise et me tirer en arrière. Tobias et Rachel me maintinrent au sol. Rachel me plaqua une main sur la

bouche : je m'apprêtais à hurler une injure ou je ne sais quoi.

– Boucle-la, imbécile ! me souffla Marco. Tu vas nous faire massacrer tous les cinq.

– Ne fais pas ça, Jake, insista Cassie en me caressant la joue. Il ne veut pas que tu meures pour lui. Tu ne comprends donc pas ? C'est lui qui meurt pour nous.

Je repoussai rageusement Marco et Rachel, mais je m'étais ressaisi.

Je regardai à nouveau par-dessus le muret. Le prince andalite était paralysé par la prise de Vysserk Trois. Je le vis se balancer en l'air. Je vis Vysserk Trois ouvrir sa gueule monstrueuse.

Je vis l'Andalite tomber dans ce gouffre béant.

La bouche se referma, les dents déchiquetèrent l'Andalite, et le prince Elfangor-Sirinial-Shamtul mourut.

A la dernière seconde, il poussa un cri de désespoir qui retentit dans nos têtes. Il y demeurera à jamais.

Les Hork-Bajirs émirent une sorte de gloussement, whou, whou, whou. Il s'agissait peut-être d'un rire, peut-être d'applaudissements. Les Taxxons se rassemblèrent autour de Vysserk Trois. Ils semblaient se dresser vers lui, et je ne tardai pas à comprendre pourquoi : un morceau de l'Andalite tomba de la gueule de Vysserk, et le Taxxon le plus proche l'avala goulûment.

Tobias se détourna et se couvrit le visage de ses mains. Cassie avait les yeux pleins de larmes. Moi aussi.

J'entendis alors un bruit inattendu parce que parfaitement naturel : des rires. Des rires humains.

Les Humains – des Humains-Contrôleurs, évidemment – riaient comme s'ils assistaient à un spectacle. Pendant un instant, j'eus l'impression que l'une de ces voix joyeuses m'était familière, comme si je l'avais déjà entendue. Mais les rires furent bientôt couverts par les gloussements d'autres Contrôleurs : les Hork-Bajirs.

Vysserk Trois morphosa, abandonnant sa forme monstrueuse pour récupérer lentement son corps d'Andalite.

< Ah, l'entendis-je penser. Rien ne vaut une bonne animorphe d'Ogre d'Antarès pour apprécier... la saveur de ses ennemis. >

A nouveau, les Humains-Contrôleurs éclatèrent de rire et les Hork-Bajirs-Contrôleurs gloussèrent, et j'en-

tendis de nouveau un rire humain qui me parut familier.

Marco se mit à vomir. Compte tenu des circonstances, c'était tout naturel, mais le bruit attira l'attention du plus proche des Hork-Bajirs.

La tête de serpent pivota et s'immobilisa.

Nous ne bougions plus.

L'Hork-Bajir se tourna vers nous. Ses yeux myopes étaient fixés droit sur notre cachette.

Je ne sais pas lequel d'entre nous paniqua le premier. Peut-être moi. Nous devions avoir atteint le point de saturation de la peur et de l'horreur. Ce fut comme si une décharge électrique nous avait traversés. Nous nous sommes mis à courir. Nous avons couru avant même d'avoir compris ce que nous faisions.

Je fonçai. Je haletai.

L'Hork-Bajir rugit.

– Dispersez-vous ! criai-je. Ils ne pourront pas poursuivre tout le monde.

Marco, Tobias et Cassie partirent dans trois directions différentes. Rachel resta à côté de moi. En me retournant, je vis l'Hork-Bajir hésiter, ne sachant qui poursuivre.

Rachel et moi sommes les meilleurs coureurs de la

bande. Tobias n'est absolument pas sportif, et Marco et Cassie sont trop petits pour être vraiment rapides. Je me dis donc que si les extraterrestres devaient pourchasser quelqu'un, il valait mieux que ce soit nous.

Rachel dut faire le même raisonnement, car elle ralentit un peu et se mit à crier en faisant de grands gestes.

– Allez, venez, espèces de...

Je n'aurais pas cru qu'elle connaissait ces mots-là.

Les deux Hork-Bajirs les plus proches pivotèrent et se lancèrent à nos trousses.

– Ghafrash ! Par ici ! Ghafrash fit ! Ennemis ! Attraper ! Par ici !

Tout terrorisé que j'étais, je m'étonnai qu'ils utilisent un mélange de leur propre langue extraterrestre et de la nôtre.

– Gafrash fit nahar ! J'attrape ! Je tue !

Je courais toujours. Soudain, mon pied heurta quelque chose et je tombai. La chute fut si violente qu'elle me vida les poumons. Pendant que j'essayais de reprendre mon souffle, Rachel continua à s'enfuir sans se rendre compte que j'étais tombé.

Un éclair rouge frappa un tuyau de ciment tout près

de moi. Le ciment se volatilisa. Les deux Hork-Bajirs nous poursuivaient en bondissant comme des kangourous démoniaques. Je me relevai et repris ma course.

Rachel dut réaliser que je n'étais plus à ses côtés, car elle s'arrêta et fit demi-tour.

– Ne fais pas ça ! lui criai-je. Continue à fuir !

Elle hésita une seconde, mais comprit qu'elle ne pouvait rien pour moi et repartit.

J'aperçus un trou obscur et m'y précipitai.

C'était une porte. Derrière, des ténèbres opaques. Il s'agissait de l'un des bâtiments qui avaient été presque achevés. Rien de plus que des murs de béton et des détritus, mais je me rappelai y être déjà venu. Marco et moi l'avions exploré de fond en comble. Un vrai labyrinthe de salles et de couloirs.

Marco ! Rachel ! Avaient-ils réussi à fuir ? Et Cassie ? Et Tobias ?

J'essayai de réfléchir en traversant en courant la première pièce. Il y avait un couloir... quelque part. Je tâtonnai dans l'obscurité et trouvai un mur.

J'entendis d'énormes pieds griffus gratter le ciment nu. Une bouteille roula sur le sol.

L'Hork-Bajir était tout près ! Et dans le noir absolu,

la supériorité de ma vision humaine ne m'était pas d'un grand secours. Seulement, je connaissais l'architecture du bâtiment vide. Disons que j'aurais su m'y diriger si mon cerveau avait fonctionné.

Ma main explora le vide. Une porte ? Oui ! Elle donnait sur un couloir. Je la franchis au moment précis où une lumière s'allumait derrière moi. Quelqu'un avait apporté une lampe-torche.

– Vous dire faut attraper ? Donner ordres.

– Non. Inutile de faire des prisonniers. Tuez tout ce que vous trouverez.

La première voix appartenait à un Hork-Bajir. La seconde était humaine. Et le plus curieux, c'était cette voix qui me semblait familière. J'essayai de réfléchir. J'étais sûr de l'avoir entendue quelque part, mais où, où ?

– Conservez seulement la tête et apportez-la-moi, qu'on puisse l'identifier.

Je me faufilai rapidement le long du mur.

La lumière me suivit à quelques pas de distance.

Je me creusai la cervelle. Est-ce qu'il n'y avait pas un passage… ? Si, là. Je m'y glissai le plus silencieusement possible. La lumière n'était plus qu'à quelques centimètres de moi.

Mon pied heurta quelque chose de mou.

– Hé là !

C'était un homme ! Il dormait par terre, enroulé dans une couverture.

– Du balai ! Ici, c'est ma place, et y a rien à prendre.

Je voulus l'avertir, mais l'un des Hork-Bajirs était là !

La torche éclaira le visage du vagabond, qui battit des paupières comme une chouette.

Il y avait un renfoncement juste derrière moi. J'y entrai à reculons.

Le vagabond poussa un cri. J'entendis un bruit de lutte. Peut-être cet homme parvint-il à s'enfuir. Je l'espère, mais je ne l'ai jamais su, parce que je profitai de cette diversion pour m'échapper.

Et je courus, courus, courus. Et, en courant, j'espérais sincèrement que tout cela n'était qu'un rêve.

CHAPITRE 7

Je finis par rentrer chez moi. Comment, je n'en ai pas la moindre idée. Je n'ai aucun souvenir de ce qui s'est passé après cette dernière vision du Hork-Bajir.

Si seulement j'avais pu oublier tous les événements de cette soirée…

Je téléphonai aux autres. Ils étaient tous choqués, mais indemnes.

Rachel n'arrêtait pas de s'excuser de m'avoir abandonné. Marco se contenta de me demander si j'étais sûr que ce n'était pas un rêve.

Il me semble que, durant la nuit, j'aurais dû faire les plus affreux cauchemars de toute mon existence, mais il n'en fut rien. Le monde des cauchemars n'était vraiment rien en comparaison de ma réalité nouvelle.

Mais le lendemain matin, qui était un samedi, j'avais du mal à croire qu'il ne s'agissait pas d'un cauchemar.

La seule chose qui me semblait bien réelle, c'était la façon dont l'Andalite souriait avec ses yeux.

Ce fut maman qui me réveilla en frappant à ma porte.

– Tu es réveillé, Jake ?

Maintenant, je l'étais.

– Ouais, marmonnai-je. Je me lève.

– Tobias est là.

Tobias ? Qu'est-ce qu'il venait faire ?

– C'est moi, fit la voix de Tobias. Je peux entrer ?

– Bien sûr.

Je m'assis dans mon lit et battis des paupières pour y voir plus clair. La porte s'ouvrit, et j'entendis Tobias remercier maman.

Il était rayonnant. Je vous jure : rayonnant. Pas comme s'il était radioactif, non, mais ses yeux brillaient, son visage était tout sourire, et il semblait débordant d'énergie, sautillant comme s'il était incapable de rester en place.

– Je l'ai fait, annonça Tobias.

Je passai les doigts dans ma tignasse ébouriffée pour essayer de la démêler.

– De quoi tu parles ?

J'étais en train de bâiller lorsqu'il me répondit :

– Je suis devenu Doudou.

J'arrêtai de bâiller. Ma bouche se referma avec un claquement sec. Doudou, c'est le chat de Tobias.

– Hein ?

Tobias regarda autour de lui, comme si la pièce pouvait être truffée d'espions.

– Je suis devenu Doudou. Exactement comme disait l'Andalite.

J'ouvris des yeux ronds.

– C'était si étrange. Ça ne m'a pas fait mal ni rien. Je le caressais en réfléchissant à ce qui s'est passé hier soir, tu comprends ? Alors je me suis dit : « Et si j'essayais ? »

Il arpentait la chambre en claquant des doigts, débordant d'enthousiasme. Totalement différent du Tobias habituel.

– Je ne savais même pas comment m'y prendre. Alors, je me suis simplement assuré que ma porte était fermée à clé. Heureusement, mon oncle dormait encore.

La famille de Tobias est assez spéciale. Je n'ai jamais su qui était son père, et sa mère l'a abandonné depuis quelques années. Depuis, il fait la navette entre son oncle, qui habite ici, et sa tante, qui vit à l'autre

bout du pays. Son oncle et sa tante se détestent, et Tobias est une espèce de fardeau dont chacun essaie de se débarrasser. J'ai l'impression qu'aucun des deux n'aime Tobias.

– J'étais donc là, assis sur mon lit, à réfléchir à tout ça. A me concentrer. A penser à devenir Doudou. Et quand j'ai regardé ma main, qu'est-ce que tu crois que j'ai vu ? me demanda-t-il en souriant.

Je secouai lentement la tête.

– Je ne sais pas.

– De la fourrure, Jake. Et il me poussait des griffes. J'aurais voulu que tu voies le vrai Doudou : il devenait complètement fou. Il a fallu que je le mette dehors avant de morphoser complètement. Il m'a griffé, conclut Tobias en léchant un doigt éraflé.

Je déglutis péniblement. Cette fois, ça devenait complètement absurde.

– Dis donc, Tobias, tu crois que tu aurais pu rêver ça ?

– Ce n'était pas un rêve, répondit-il avec son sérieux habituel et sans sourire. Tout cela est vrai, Jake. Tout.

Nos regards se croisèrent. Je compris ce qu'il voulait dire. Lui aussi avait sûrement essayé de se persuader que tout cela n'était qu'un cauchemar. Mais c'était la réalité.

Je détournai les yeux. Je me refusais encore à croire que tout cela était bien arrivé. Je voulais que ça reste soigneusement rangé dans un coin de ma tête, un mauvais rêve parmi d'autres. Les mauvais rêves devraient demeurer dans la tête, pas faire irruption dans la vie réelle.

– Je me suis simplement concentré sur le changement, dit Tobias, et au bout de quelques minutes, j'avais... cessé d'être moi-même.

Ses yeux se fixèrent sur moi.

– Tu ne peux pas imaginer ce que c'est, Jake. Être un chat est si... c'est... je ne peux pas t'expliquer. D'abord, tu es tellement fort. Toute cette puissance concentrée, et la façon dont tu peux te déplacer ! Tu sais ce que j'ai fait ? J'ai sauté sur mon buffet. Un bond de plus d'un mètre de haut, et je me suis posé comme une plume. Plus d'un mètre ! Tu imagines ce que ça représente, pour un chat ? C'est comme si un homme sautait à dix mètres de haut.

Il se tut brusquement et me regarda.

– Tu ne me crois pas, hein ?

– Tu sais, Tobias, il est parfois difficile de distinguer

la réalité de quelque chose qu'on a seulement imaginé, ou rêvé.

– Tu me crois fou.

Je réfléchis un instant.

– Je ne sais pas, Tobias. Examinons les faits. Tu prétends être devenu ton propre chat. T'être transformé en un véritable chat. Oui, je suis obligé d'avouer que ça me paraît incroyable.

Tobias hocha gravement la tête. Il m'adressa un petit sourire.

– Je te comprends, Jake. Tu ne veux pas que ce soit vrai.

– Comment ? Tu me demandes si je veux croire que tu t'es changé en chat ? Et tout le reste ? Si je veux croire que la Terre est envahie par des limaces visqueuses qui vivent dans le cerveau des gens et les transforment en esclaves ? Si je veux croire que... que... Ça non ! Je refuse d'y croire.

– Et l'Andalite ? demanda-t-il doucement.

J'hésitai. Je ne sais pas pourquoi, mais je ne voulais pas oublier l'Andalite. Tobias posa sa main sur mon bras.

– Bouge pas.

– Hein ? Qu'est-ce que tu vas faire ?

– T'aider à te faire une opinion.

– Tobias...

– Attends, c'est tout. Et reste calme, quoiqu'il arrive.

Alors j'attendis.

Pendant quelques secondes, il ne se passa rien. Tobias ne bougeait pas. J'observai son visage. Ses yeux... ses yeux avaient changé. Les pupilles n'étaient plus parfaitement rondes, et elles avaient indiscutablement un reflet vert. Et sa bouche faisait légèrement saillie.

Tobias rétrécissait. Sa taille diminuait à vue d'œil. Son col de chemise bâillait, son pantalon lui tombait sur les genoux. Il rapetissait. Et, en même temps, il lui poussait de la fourrure – parfaitement, de la fourrure ! – sur les mains, le cou et les joues. Un pelage gris rayé de noir, comme celui de Doudou.

Je fus pris d'une stupide envie d'éclater de rire. Tobias se transformant en chat de gouttière ! Mais je sentais que si je commençais à rire, je ne pourrais plus m'arrêter.

Tobias était maintenant plus chat qu'humain. Des oreilles pointues se dressaient sur son crâne, de fières moustaches jaillissaient de sous son délicat

museau rose. Il s'était laissé tomber à quatre pattes, et ses vêtements pendaient sur lui comme des haillons. Et il balançait nerveusement sa queue. Oui, sa queue !

Je me demandai si j'allais périr étouffé par la grosse boule qui m'obstruait le gosier ou défoncé par le marteau-piqueur qui me tenait lieu de cœur, et puis je m'interrogeai : étais-je bien réveillé ?

Mais s'il s'agissait d'un rêve, il était vraiment très convaincant.

Je restai planté au milieu de ma chambre, les yeux fixés sur un matou gris et noir qui, moins de deux minutes plus tôt, était mon ami Tobias.

CHAPITRE 8

– J'espère que je dors, murmurai-je. Je l'espère sincèrement.

< Tu ne dors pas. >

– C'est toi ? demandai-je au chat.

< Tu m'entends ? > s'écria Tobias avec stupeur, pour autant qu'on puisse « s'écrier » sans produire le moindre son.

– Oui, répondis-je avec méfiance.

< Je ne savais pas que je pouvais transmettre des pensées, avoua Tobias. Exactement comme l'Andalite. >

– Je suppose que ça ne marche que quand tu es… morphosé.

« Me voilà en train de discuter avec un chat ! » songeai-je. Et je trouvais Tobias fou ? M'avait-il entendu penser ? Je me concentrai.

< Tu m'entends, Tobias ? >

< Oui. Je t'entends. >

– Tu as entendu ce que j'ai pensé avant ? demandai-je.

< Non. Je ne crois pas que ça marche comme ça. Pour que je t'entende, il faut que tu diriges tes pensées vers moi. Hé, regarde ça. >

Tobias bondit soudain en l'air et retomba pile sur une balle de base-ball dédicacée qui traînait dans un coin. Un saut d'un mètre cinquante de longueur au moins.

< C'est formidable ! Allez, agite une ficelle, que je l'attrape. >

– Que j'agite une ficelle ? Pour quoi faire ?

< Parce que c'est drôlement amusant ! >

Je fouillai dans le tiroir de mon bureau et trouvai un bout de ruban provenant d'un cadeau d'anniversaire. Je ne suis pas spécialement ordonné. L'anniversaire en question remontait à deux ans.

– Ça ira ?

Je traînai lentement la ficelle sur le sol, à une quarantaine de centimètres du museau de Tobias. Celui-ci s'accroupit, frétilla de la croupe et bondit. Il atterrit sur le ruban, le saisit avec ses dents pointues, roula sur le dos et entreprit de le lacérer comme si c'était un ennemi féroce.

J'essayai de récupérer la ficelle, mais il bondit à nouveau.

< Ça y est ! Je l'ai eue ! >

– Tobias, qu'est-ce que tu fais ?

< Bouge-la plus vite ! Je la vois ! Je la tiens ! >

– Qu'est-ce qui te prend, Tobias ? criai-je. Tu es en train de jouer avec une ficelle !

Il s'arrêta brusquement. Sa queue fouetta l'air nerveusement. Il leva vers moi des yeux froids de chat, mais je fus convaincu d'y déceler une expression de confusion.

< Je… je ne sais pas, reconnût-il. C'est comme si… comme si j'étais moi tout en étant en même temps Doudou. J'ai envie de courir après des ficelles, et si une vraie souris venait à passer par là, je la chasserais avec plaisir ! Je la suivrais doucement, j'écouterais les battements de son cœur, les grattements de ses petites pattes… J'attendrais le moment propice, et alors le bond parfait, toutes griffes dehors… >, dit-il en tendant ses pattes pour me montrer.

– Tobias, j'ai l'impression que nous sommes en train de découvrir quelque chose, déclarai-je en

m'habituant avec une étonnante rapidité à l'idée de parler avec un chat.

< Quoi ? Qu'est-ce qu'on découvre ? >

– Je crois que tu n'es pas seulement Tobias. Tu es véritablement un chat. Je veux dire que tu en possèdes tous les instincts. Tu voudrais faire tout ce que fait un chat.

< Oui. Je le sens. Comme si j'étais deux êtres différents fusionnés en un seul. Je peux penser à la fois en homme et en chat. >

– Vaudrait mieux que tu reprennes ta vraie forme, dis-je.

Il hocha la tête. Un spectacle surprenant, croyez-moi : un chat acquiesçant gravement, posément.

< Tu as raison. >

Le retour à la forme humaine fut au moins aussi étrange que la transformation en chat. La fourrure disparut en découvrant des plaques roses de peau nue, un nez surgit du faciès aplati de félin, et la queue fut avalée comme un serpent dans un aspirateur.

Tobias se dandinait, l'air gêné. Il enfila rapidement ses vêtements.

– Avec de l'entraînement, nous trouverons peut-être un moyen pour reprendre notre aspect tout habillés.

– Nous ?

Il retrouva son gentil sourire.

– Tu ne piges donc pas, Jake ? Si moi je peux le faire, tu le peux aussi.

Je secouai la tête.

– Je ne crois pas, Tobias.

Brusquement, il se mit en colère. Il m'empoigna par les épaules et me secoua comme un prunier.

– Tu ne comprends donc rien, Jake ? Tout est vrai. Absolument tout.

Je le repoussai. Je ne voulais pas l'écouter. Mais il insista.

– Tout cela est réel, Jake. L'Andalite nous a donné ce pouvoir dans un but précis.

– Tant mieux, rétorquai-je. Utilise-le, toi.

– J'y compte bien. Mais nous aurons besoin de toi, Jake. Surtout de toi.

– Pourquoi moi ?

Il hésita.

– Écoute, Jake, tu ne comprends rien ou quoi ? Je connais mes limites. Je suis incapable de concevoir un plan et d'indiquer à chacun ce qu'il doit faire. Le chef, ce n'est pas moi, c'est toi.

J'éclatai de rire.

– Je ne suis le chef de personne.

Il se contenta de me regarder avec ses yeux graves, troublés... des yeux que je ne vois plus maintenant que dans ma mémoire.

– Oui, Jake, c'est toi notre chef. Celui qui peut nous unir et nous aider à vaincre les Contrôleurs. Nous avons le pouvoir de devenir beaucoup plus forts que nous ne le sommes, d'acquérir la ruse du chat, la vue de l'aigle, l'odorat du chien, la rapidité du cheval ou du guépard. Nous aurons besoin de tout cela si nous voulons avoir une chance de tenir tête aux Contrôleurs.

Je ne voulais pas que ce soit vrai, que rien de tout cela ne soit vrai. Mais je savais que ça l'était.

Je hochai lentement la tête. J'avais l'impression d'accepter quelque chose d'effroyable. Comme si j'étais volontaire pour aller chez le dentiste, ou pire. Comme si un fardeau d'un millier de tonnes venait de s'abattre sur mes épaules.

Je compris ce qu'il me restait à faire.

– Bon, bougonnai-je. J'ai l'impression que je ferais bien d'aller chercher Homer.

Homer, c'est mon chien.

CHAPITRE 9

Ce n'est pas douloureux. De morphoser, je veux dire. Je caressai un moment Homer en me sentant complètement idiot.

– C'est le truc le plus stupide que j'aie fait de ma vie, dis-je à Tobias.

– Écoute, il faut te concentrer. Moi, en tout cas, c'est ce que j'ai fait. Je me suis formé une image mentale de Doudou, tu comprends ? J'ai pensé à devenir lui.

– Je vois. Il faut que je... médite sur le fait de devenir un chien.

– C'est ça. Tu dois y penser. Le vouloir.

Logiquement, j'aurais dû me dire qu'il était en plein délire. Seulement, je venais de le voir se transformer en chat. Alors si lui était fou, je l'étais également.

Je pensai à devenir Homer. En lui lissant le poil, je me formai mentalement une image de moi devenant

Homer. Homer était étrangement calme. Comme s'il dormait, mais ses yeux étaient ouverts.

– Exactement comme Doudou, commenta Tobias. J'ai l'impression que l'opération plonge l'animal dans une sorte de transe.

– Il est simplement effrayé parce qu'il se dit que son maître est fou, répliquai-je en continuant à caresser Homer qui ne bougeait toujours pas. Bon, et maintenant ? demandai-je à Tobias.

– Maintenant, il vaudrait mieux mettre Homer dehors. Ça risque de l'affoler de te voir devenir lui.

Homer mit une dizaine de secondes à émerger de sa transe, mais je retrouvai alors le Homer habituel, exubérant et débordant d'énergie. Je le sortis dans la cour.

Quand je regagnai ma chambre, Tobias m'attendait patiemment.

– Fais un essai, me conseilla-t-il. Pense à ce que tu fais. Il faut le vouloir.

Je respirai à fond, fermai les yeux et reconstituai l'image mentale de Homer. Je songeai à devenir Homer. J'ouvris les yeux.

– Ouah, ouah ! fis-je en riant. J'ai l'impression qu'avec moi, ça ne marche pas, Tobias.

Le dos de ma main me démangeait, je me grattai.

– Jake ? dit Tobias.

– Quoi ?

– Regarde ta main.

Je regardai ma main. Elle était couverte de poils fauves.

Je sautai en l'air en poussant un cri horrifié. Quand je baissai à nouveau les yeux, les poils avaient cessé de pousser.

– N'aie pas peur, me rassura Tobias. Laisse-toi faire. Là, tu as interrompu le processus de l'animorphe. Il faut que tu te concentres.

– Ma main ! bredouillai-je. Elle est velue !

– Oui, dit Tobias, et tes oreilles...

Je courus me regarder dans un miroir. Mes oreilles avaient changé de place. Elles étaient remontées sur les côtés de ma tête et étaient indiscutablement plus grandes qu'elles n'auraient dû.

– Continue, c'est super ! s'exclama Tobias.

– Super ? C'est... c'est répugnant, oui. C'est insensé. C'est... Mais, enfin, regarde mes mains ! Je suis poilu !

– Tu es obligé d'y passer, insista Tobias.

– Rien ne m'y oblige, rétorquai-je.

Tobias hocha la tête.

– D'accord, tu as raison. Rien ne t'y oblige. Tu peux oublier ce que nous avons vu hier soir. Et ce que nous avons appris. Et quand les Yirks contrôleront de plus en plus de gens, tu pourras te contenter de l'ignorer. Nous pouvons tous fermer les yeux et continuer à vivre dans un monde où les êtres humains ne sont que des corps destinés à être utilisés par des assassins venus de l'espace.

Je reconnus que, présenté sous cet angle, cela ne semblait pas une perspective très attrayante.

– Vas-y, insista Tobias.

J'avalai ma salive, je fermai les yeux et je songeai à Homer. A devenir Homer.

Les démangeaisons reprirent et, quand j'ouvris les yeux, des poils poussaient sur mes bras. Et sur mon visage. Et des touffes sortaient de sous mon col. Mes jambes me grattaient, et je constatai qu'elles aussi se couvraient de poils.

Mes os… eh bien, ils ne me faisaient pas vraiment mal, mais ils semblaient bizarres. Vous savez ce qui se passe chez le dentiste quand il vous endort, plus parce que vous avez peur de la roulette que pour vous éviter la souffrance ? Eh bien, c'était à peu près ça.

Mes os raccourcirent. Je sentis ma colonne s'allonger en s'étirant pour former une queue. On entendit un craquement lorsque mes genoux plièrent brusquement en sens inverse. Je basculai en avant, incapable de tenir debout.

Lorsque mes mains touchèrent le sol, elles n'étaient plus exactement des mains. Les doigts avaient disparu. Il ne restait que des ongles, courts et épais. Mon visage s'allongea, mes yeux se rapprochèrent.

Tobias se leva et inclina la glace pour que je puisse me voir.

J'assistai à la transformation finale, lorsque les dernières taches roses de chair humaine disparurent et que la queue – ma queue – atteignit sa taille réelle.

J'étais un chien. C'était incroyable, mais le fait était là : j'étais un chien.

Je me rendais compte que tout cela aurait dû me terrifier, mais ce n'était pas le cas. J'étais complètement étourdi, électrisé. Le bonheur me submergeait. J'étais véritablement inondé de bonheur.

Je respirai avec mon nez ridiculement long, et ouah, ouah ! Les odeurs ! Vous n'avez pas idée de ce que c'est. J'aspirais un peu d'air et, aussitôt, je savais que maman faisait des gaufres dans la cuisine et que

Tobias avait traversé le territoire d'un grand chien mâle. Et je savais aussi un tas de choses que je serais incapable de décrire avec des mots humains. Comme si, après avoir été aveugle toute sa vie, on se mettait brusquement à voir.

Je courus renifler la chaussure de Tobias, histoire de me faire une idée plus précise de ce grand chien mâle. L'odeur de son urine, ramassée par la chaussure de Tobias, me permit de me former une sorte d'image de lui. Il faut dire que Homer le connaissait. Ses propriétaires l'appelaient Sam. Il était châtré, comme moi. Il passait le plus clair de son temps dans sa cour, mais il lui arrivait parfois de s'échapper en creusant un trou sous sa clôture. Il se nourrissait d'un mélange d'aliments secs et de conserves. Pas de restes de nourriture fraîche, contrairement à moi.

Tous ces renseignements me remplirent à nouveau de joie, et je remuai la queue. Je levai les yeux vers Tobias. Il me parut grand, bizarre et pas spécialement élégant. Regarder les choses ne m'intéressait guère. Les sentir était infiniment plus agréable.

Un intrus !

Il y avait du bruit dans la cour. Un chien ! Un chien inconnu dans ma cour. Un intrus !

Je courus à la fenêtre, me dressai sur mes pattes de derrière et me déchaînai.

– Ouah ! Ouah-ouah ! Grrrrrrrr !

J'aboyai de toutes mes forces. Pas question de laisser un chien inconnu se balader dans ma cour.

– T'excite pas, Jake, me dit Tobias. C'est Homer qui est dehors.

Homer ? Comment ? Mais c'est moi qui…

Je rentrai ma queue entre mes pattes. Qu'est-ce qui se passait ?

– Écoute-moi, Jake, dit Tobias. Il m'est arrivé exactement la même chose quand j'ai morphosé en chat. Le cerveau du chien fait maintenant partie du tien. Il faut t'en accommoder.

< Mais il y a un chien dans ma cour. >

– C'est Homer, Jake. Tu es Jake, mais tu habites dans un corps copié sur l'ADN de Homer. Celui qui est dehors, c'est le vrai Homer. C'est toi qui l'as mis là. Concentre-toi. Toi, tu es Jake, Jake.

Je respirai à fond. Ah, ces odeurs ! Il y en avait une, en particulier, que je ne parvenais pas tout à fait…

« Concentre-toi, Jake ! ordonnai-je à moi-même. Concentre-toi. »

Lentement, je calmai la partie chien de mon esprit.

« Oublie les odeurs. Oublie le bruit d'un chien dans ta cour. »

Ce ne fut pas facile, la première fois. Être un chien est si déroutant. D'abord, on ne peut rien faire à moitié. On n'est jamais plutôt content : on est vraiment content. On n'est jamais un peu malheureux : on est complètement, absolument malheureux. Et quand on a faim sous la forme d'un chien, on meurt de faim.

On frappa à ma porte. Parfaitement, ma porte. Je savais de nouveau qui j'étais. J'étais Jake. Un Jake à quatre pattes doté d'une truffe et d'une queue, mais Jake.

Les coups parurent incroyablement bruyants à mes oreilles de chien.

– Homer est avec toi, Jake ? demanda la voix de mon frère Tom. Empêche-le d'aboyer, maman téléphone.

Il ouvrit la porte, entra et jeta un coup d'œil dans la chambre. Il parut perplexe.

– Qui êtes-vous ? fit-il à Tobias.

– Je m'appelle Tobias. Je suis un copain de Jake.

– Où est-il passé ?

– Oh… par là, répondit Tobias.

Tom me regarda. Il dégageait une curieuse odeur

que mon cerveau de chien ne parvint pas à identifier. C'était une odeur troublante, dangereuse qui, je ne sais pourquoi, évoqua dans ma tête l'écho d'un rire. Un rire bien humain que j'avais entendu la veille au soir, lorsque Vysserk Trois avait englouti l'Andalite.

– Sale cabot, me dit Tom. Tiens-toi tranquille, sale cabot.

Et il s'en alla, me laissant effondré. Je n'étais pas un sale cabot. Pas vraiment. Si j'aboyais, c'était parce qu'il y avait un autre chien dans ma cour. Sale cabot ? J'étais un sale cabot ? Non, je tenais à être un bon chien. Je rampai dans un coin et m'assis, profondément malheureux.

Tobias s'accroupit et me caressa la tête.

Quand il me gratta derrière les oreilles, je me sentis un petit peu mieux.

CHAPITRE 10

Après avoir démorphosé pour réintégrer mon corps normal, je téléphonai à tous les autres. Tobias partit de son côté en déclarant qu'il nous rejoindrait plus tard à la grange, chez Cassie. J'étais en train de parler à Cassie sur l'appareil de la cuisine lorsque Tom fit son apparition.

– Ah, c'est là que tu étais, s'exclama-t-il.

Je couvris le micro du combiné.

– Ouais. Tobias m'a dit que tu m'avais cherché.

– Je voulais simplement que tu fasses taire ton cabot, expliqua-t-il en faisant pivoter une chaise et en l'enfourchant.

J'hésitai. Je n'avais pas envie que Tom entende ce que je racontais.

– Je passe te voir dans deux heures, d'accord ? dis-je à Cassie et je raccrochai.

Je regardai Tom. Il est plus grand que moi, bien que je ne sois pas vraiment petit. Ses cheveux sont plus foncés, presque noirs, alors que les miens sont bruns.

Je lui avais toujours fait confiance. Il n'était pas de ces garçons qui brutalisent leur petit frère, et nous avions toujours été très proches. Du moins, jusqu'à cette année, parce qu'on ne se voyait plus guère, surtout depuis qu'il s'était inscrit à un club appelé le Partage. Ses membres faisaient des tas d'activités ensemble, si bien que Tom était souvent occupé.

Normalement, Tom aurait dû être le premier à qui j'aurais dû raconter ce qui m'était arrivé mais, en le regardant manger sa tartine, il me vint une curieuse impression. Une impression qui me disait : « Non, ça doit rester un secret. Même vis-à-vis de Tom. »

Je préférai donc lui avouer la deuxième chose qui m'ennuyait.

– Je... euh... ne suis pas qualifié dans l'équipe.

– Quelle équipe ? demanda-t-il, l'air intrigué.

– Quelle équipe ? Mais l'équipe de basket, voyons. Ton ancienne équipe.

– Ah. Pas de chance.

– Pas de chance ? m'exclamai-je, sidéré qu'il prenne la chose à la légère.

– Ce n'est jamais que du sport, remarqua-t-il en avalant un gros morceau de tartine.

– Que du sport ? répétai-je malgré moi.

Tom considérant le sport comme secondaire ? Impensable. Le sport était toute sa vie.

– Eh oui, soupirai-je. Faut croire que je n'ai pas ta classe.

Il haussa les épaules.

– De toute façon, je ne fais plus partie de l'équipe. J'ai démissionné il y a deux jours…

Je faillis dégringoler de ma chaise.

– Tu as démissionné ? Tu as laissé tomber l'équipe ? Et tu n'as rien dit ? Qu'est-ce qui se passe ?

– Je n'en ai pas parlé parce que je savais que papa et toi en feriez tout un plat. Écoute, il y a des choses plus importantes que de lancer un ballon dans un panier, m'expliqua-t-il avec un drôle de regard qui me fit penser que, pour lui, ce qui comptait le plus dans la vie, c'était les filles. D'ailleurs, ajouta-t-il, nous avons des activités autrement plus intéressantes, au Partage. Tu devrais peut-être t'y faire inscrire.

J'étais stupéfié.

Manifestement, Tom et moi étions plus éloignés l'un de l'autre que je ne le croyais.

Notre conversation terminée, je sortis tondre la pelouse. Je tonds la pelouse tous les samedis. C'est ma tâche principale. Ça et sortir les ordures, ce que je déteste parce qu'on est obligé de les trier pour le recyclage.

Mes travaux ménagers expédiés, je sautai sur mon vélo et filai.

Je m'étais mis d'accord avec les autres pour qu'on se retrouve à la ferme de Cassie. Ce n'est pas une vraie ferme, bien que c'en ait été une dans le passé. Et il y a toujours des chevaux et une vache. Seulement, l'imposante grange rouge abrite maintenant le Centre de sauvegarde de la vie sauvage. C'est le père de Cassie qui le dirige. On y soigne toutes les bêtes blessées, sauf les animaux de compagnie. Il y a toujours des tas d'oiseaux, ainsi que des écureuils, des chevreuils, des blaireaux, etc. Parfois, on peut même y voir un lynx, un renard, ou même un loup.

La mère de Cassie est également vétérinaire, mais elle exerce au Parc, cet immense centre de loisirs qui comprend également un zoo... qui ressemble en fait plutôt à une réserve naturelle. Heureusement pour elle, Cassie adore les animaux. Avec de tels parents, c'est une chance.

Moi, j'ai un chien. Tobias a un chat. Cassie a tout, depuis les porcs-épics jusqu'aux ours blancs.

Lorsque j'arrivai à la ferme, Marco, Tobias et Rachel attendaient déjà devant la grange. Rachel bronzait au soleil, la tête renversée en arrière. Cassie n'était pas encore là. Je me dis qu'elle devait être occupée. Elle avait toujours des tonnes de choses à faire.

– Salut, les gars, fis-je.

Rachel ouvrit les yeux et me lança aussitôt un journal.

– Lis ça, me dit-elle en désignant un article.

Le papier en question n'était pas très long. Il disait que des troubles s'étaient produits la veille au soir sur le chantier de construction. La police avait reçu de nombreux coups de téléphone de gens prétendant avoir vu des soucoupes volantes y atterrir, suivies de lumières éblouissantes.

– Super, dis-je en levant les yeux. Maintenant, la police est au courant. C'est toujours ça.

– Continue, insista Rachel.

L'article disait ensuite que la police, en arrivant sur les lieux, avait trouvé un groupe d'adolescents jouant avec des feux d'artifice. Les jeunes s'étaient sauvés.

Les feux d'artifice avaient été découverts sur place. La présence de soucoupes volantes avait fait rire le porte-parole de la police. « Il n'y avait qu'une bande de gosses jouant à un endroit où ils n'auraient pas dû être, avait-il déclaré. Et pas la moindre soucoupe volante. Les gens ne devraient pas avoir tant d'imagination. »

– Mais c'est un tissu de mensonges, m'écriai-je.

– Ding ! ding ! ding ! ding ! Réponse exacte. Johnny, indiquez à notre aimable concurrent combien il a gagné, dit Marco.

– Tu as lu la fin ? me fit remarquer Rachel.

Je lus le dernier paragraphe. Il me laissa sans voix, je vous jure. La police offrait une récompense pour tout renseignement concernant les adolescents.

– C'est après nous qu'ils en ont, précisa Marco.

– Mais pourquoi la police serait-elle... Je veux dire : pourquoi ce mensonge ? me demandai-je à haute voix, mais la réponse était évidente.

Marco eut un rire moqueur.

– Voyons voir... Serait-ce parce que les policiers sont des Contrôleurs ?

– Pas tous, enfin je pense, précisa Tobias.

– Si les Contrôleurs ont infiltré la police, comment

savoir qui d'autre ils tiennent en leur pouvoir ? Des professeurs ? Des gens du gouvernement ? Les journaux et la télé ?

– Des profs de math, certainement, ironisa Marco.

Nous avons regardé les alentours comme si nous nous attendions à trouver une armée de Contrôleurs.

– J'ai essayé de me convaincre que tout cela n'était qu'un rêve, avoua Rachel.

– Moi aussi, dis-je.

Pendant un instant, personne n'ouvrit la bouche. Nous éprouvions tous la même affreuse sensation d'être seuls au monde. Comme si, brusquement, nous étions confrontés à un problème qui nous dépassait vraiment, et de beaucoup.

Ce fut Marco qui prit le premier la parole.

– Au fond, qu'est-ce qui nous oblige à nous mêler de ça ? Allez, on laisse tomber. On n'en parle plus. Pas question de morphoser. On s'occupe de nous et c'est tout.

Tobias et Rachel se tournèrent vers moi. Ils s'attendaient à ce que je réponde à Marco.

– Marco, commençai-je, je suis à moitié d'accord avec toi...

Marco devint soudain hystérique.

– C'est un truc à se faire tuer ! s'écria-t-il. Vous ne comprenez donc pas ? Vous avez vu ce qui est arrivé à l'Andalite. Je veux dire que c'est sérieux, Jake. C'est réel. Réel ! On risque tous de se faire descendre !

Tobias observait Marco du coin de l'œil comme s'il le soupçonnait d'être un dégonflé. Je savais que ce n'était pas le cas. Il avait ses raisons.

Marco secoua la tête. Il s'exprima d'un ton posé.

– Écoutez, je trouve que ces Contrôleurs sont immondes, mais s'il m'arrivait quoi que ce soit… mon père ne s'en remettrait pas.

La mère de Marco était morte deux ans auparavant. Elle s'était noyée. On n'avait pas retrouvé son corps. Le père de Marco, complètement bouleversé, s'était laissé aller. Il avait quitté son emploi de dessinateur industriel parce qu'il ne supportait plus la présence de qui que ce soit. Maintenant, il travaillait comme veilleur de nuit et gagnait à peine de quoi nourrir Marco. Il passait ses journées à dormir ou à regarder la télé sans brancher le son.

– Considérez-moi comme un trouillard si vous voulez, reprit Marco. Ça m'est égal. Mais si jamais je me faisais descendre, mon père ne s'en remettrait pas. Il ne vit plus que pour moi.

Je me demandai si je devais aller lui taper sur l'épaule, mais si je l'avais fait, Marco, parce qu'il était Marco, m'aurait reçu avec un sarcasme.

– Voilà Cassie, annonça Rachel en mettant une main devant ses yeux pour regarder au loin.

Un cheval galopait dans la prairie, sa crinière noire flottant au vent. Je ne vis pas de cavalier.

Le cheval qui ralentit et se dirigea vers nous au petit trot m'inspira soudain une sensation bizarre.

– Cassie et moi, ça fait un bon moment qu'on est là, expliqua Rachel. Elle est vraiment douée. Regardez à quelle vitesse elle fait ça.

Le cheval hennit doucement et commença à fondre. Ses grands yeux marron rétrécirent, son long chanfrein devint une bouche humaine.

Un être mi-cheval mi-Cassie nous sourit en exhibant de grandes dents et nous dit :

– Bonjour, les enfants.

Marco en tomba par terre. Très brutalement. Il n'avait jamais assisté à une animorphe.

– Tout va bien, dis-je en essayant de paraître détendu. Ce n'est que Cassie.

Soucieux de me conduire en gentleman, je détournai les yeux. Quand Tobias et moi avions morphosé, nous avions perdu nos vêtements, mais lorsque Cassie démorphosa, je remarquai qu'elle était moulée dans un justaucorps bleu, le genre de tenue que les filles portent pour faire de la danse.

Je regardai donc et assistai à un spectacle magnifique. Pendant quelques secondes, elle resta mi-cheval mi-humaine. Cela me rappela l'Andalite, et je compris que c'était voulu. Cassie contrôlait la façon dont elle morphosait.

– Bon sang, Rachel, tu avais raison, m'exclamai-je. Cassie est vraiment douée.

Soudain, nous avons entendu des pneus rouler sur le gravier. Nous nous sommes retournés d'un même mouvement. Une voiture bleu et blanc remontait le chemin de terre.

– La police ! s'écria Tobias.

CHAPITRE 11

– Morphose, Cassie, vite ! m'écriai-je.

La voiture de police se rapprochait vite et je ne me voyais pas expliquer la présence d'un centaure.

– Dans quel sens ? gémit Cassie en se cabrant légèrement. Je morphose en cheval ou en humain ?

Je compris ce qui lui arrivait. Elle devait lutter contre l'envie de garder son animorphe.

– En humain, en humain ! répondis-je. Tout le monde devant elle !

La voiture s'arrêta en faisant crisser le gravier. Un seul policier en descendit.

– Bonjour, dit-il. Vous… euh… ne seriez pas en train de vouloir nous cacher quelque chose, les enfants ?

Je faillis me retourner pour voir à quel stade en était Cassie, ce qui aurait été une erreur.

– Vous cacher quelque chose ? répétai-je.

– Écartez-vous, ordonna-t-il.

Nous avons obéi, et Cassie apparut. Complètement humaine. Le policier parut surpris, mais finit par hausser les épaules. Je poussai un soupir de soulagement.

– On peut faire quelque chose pour vous, monsieur l'agent ? demanda Rachel de son ton le plus « responsable ».

– Nous procédons à des enquêtes, répondit-il en continuant à observer Cassie comme si son aspect le surprenait. Nous recherchons des gamins qui, hier soir, ont allumé des feux d'artifice sur le chantier de construction qui est près du centre-ville, de l'autre côté du boulevard.

Marco fut pris d'une brusque quinte de toux.

– Qu'est-ce qu'il a ? continua l'agent.

– Rien, répondis-je. Il va très bien.

– Nous voulons mettre la main sur ces gamins, dit l'agent. Nous y tenons beaucoup. Vous comprenez, ce qu'ils faisaient était dangereux. Ils auraient pu blesser quelqu'un. C'est pourquoi nous voulons absolument les retrouver.

Soudain, je compris. Cet homme était l'un d'entre eux. L'agent était un Contrôleur. J'examinai son

visage. Il paraissait normal, mais une créature venue d'une autre planète, un parasite malfaisant, se cachait à l'intérieur de sa tête. Derrière ces yeux humains apparemment ordinaires était tapie une chose immonde.

– Je ne suis pas au courant, mentis-je.

Il me regarda attentivement, et je commençai à transpirer.

– C'est drôle, vous me rappelez quelqu'un. Vous ressemblez à un jeune homme que je connais, un certain Tom.

– C'est mon frère.

J'essayais de contrôler ma voix, mais je n'arrivais pas à oublier que ce n'était pas à un vrai policier que je parlais, mais à un Yirk. Ce n'était même plus un être humain, pas vraiment. C'était un Humain-Contrôleur. Son cerveau humain était totalement asservi.

– Alors, vous êtes le frère de Tom, hein ? Eh bien, c'est un chic type. J'ai fait sa connaissance au Partage, dont je suis l'un des dirigeants. Un club épatant, le Partage. Vous devriez assister à nos réunions.

– Oui, sûrement. Tom me l'a déjà proposé.

– On y passe de très bons moments.

– Oui, sûrement.

– Eh bien, prévenez-moi, si vous apprenez quoi que ce soit sur les gamins du chantier de construction. Je vous signale qu'ils sont capables de vous raconter une histoire à dormir debout pour justifier leur délit, mais vous êtes trop intelligent pour avaler un tas de mensonges stupides, n'est-ce pas ?

– C'est un vrai génie, dit Marco.

Le policier finit par s'en aller.

– Bon, règle numéro un, décréta Rachel d'un ton ferme. On ne fait rien qui puisse attirer l'attention sur nous, et on garde le silence sur tout. Spécialement sur l'animorphe.

Cassie eut l'air gêné.

– Je reconnais que c'était idiot de ma part, mais c'est tellement formidable de galoper à toute allure, librement, en pleine nature…

– Comment as-tu fait pour morphoser tout habillée ? demandai-je. Quand on l'a fait, Tobias et moi… eh bien, disons que c'est une chance qu'il n'y ait pas eu de filles dans les parages.

– Je me suis entraînée, expliqua Cassie. Et ça ne marche qu'avec des vêtements collants. J'ai essayé avec une veste : elle en est sortie en lambeaux. Je ne sais pas comment on fera cet hiver.

– La question ne se posera pas, affirma Marco. Parce que l'animorphe, c'est terminé.

– Il se pourrait que Marco ait raison, dit Rachel. Ça nous dépasse. On n'est que des adolescents. Il faudrait trouver quelqu'un de haut placé à qui raconter tout ça. Quelqu'un en qui on puisse avoir confiance.

– On ne peut faire confiance à personne, déclara Tobias. N'importe qui peut être un Contrôleur. Si on se trompe, on sera tous menacés… et le monde entier sera condamné.

– Je ne veux pas arrêter de morphoser, déclara Cassie. Vous ne vous rendez donc pas compte de tout ce qu'on pourrait faire avec ce pouvoir ? Communiquer avec les animaux, par exemple. Aider à sauver des espèces en voie de disparition.

– Les Humains risquent fort d'être la prochaine espèce en voie de disparition, Cassie, remarqua doucement Tobias.

– Qu'en penses-tu, Jake ? demanda Cassie.

– Moi ? Je ne sais pas, répondis-je en haussant les épaules. Marco a raison : on risque de se faire tuer. Rachel a raison : c'est trop grave pour des jeunes.

J'hésitai à poursuivre, car ce que j'allais dire ne me plaisait pas.

– Mais Tobias a également raison. Le monde entier est en danger, et nous ne pouvons nous fier à personne.

– Alors, qu'est-ce qu'on fait ? insista Rachel.

– Hé là, ce n'est pas à moi de décider, rétorquai-je.

– Votons, proposa Rachel.

– Je vote pour pouvoir vivre suffisamment vieux pour passer le permis de conduire, dit Marco.

– Je vote pour faire ce qu'a demandé l'Andalite : lutter, ajouta Tobias.

– Tu ne t'es jamais battu de ta vie, ricana Marco. A l'école, tu n'es pas fichu de te défendre. Et maintenant, tout d'un coup, tu veux affronter ce monstre de Vysserk Trois ?

Tobias ne répondit pas, mais ses joues rougirent nettement.

– Je vote comme Tobias, dit Rachel en jetant un regard noir à Marco. Je préférerais que quelqu'un d'autre s'occupe de tout ça, mais c'est impossible.

– Réfléchissons un peu, continua Cassie. C'est une décision grave. Je veux dire que ce n'est pas comme décider si on va mettre un jean ou une jupe.

Je fus soulagé. Merci Cassie !

– C'est ça, attendons un peu, approuvai-je.

Entre temps, personne ne raconte rien à personne. On reprend simplement notre vie habituelle.

Un petit sourire apparut sur les lèvres de Marco. Il pensait avoir gagné, mais je n'en étais pas si sûr. Tobias, les joues toujours rouges, adressa à Rachel un regard compréhensif et reconnaissant.

Marco et moi avons repris le chemin de la maison en essayant de faire comme si rien ne s'était passé. La conversation tourna autour de la saison de base-ball et de nos chances respectives de l'emporter dans Dead Zone 5, le jeu vidéo auquel nous allions jouer sur mon ordinateur.

En arrivant chez moi, on commençait à ne plus savoir quoi se dire.

Nous avons joué un moment à Dead Zone sans être très brillants ni l'un ni l'autre. A dire vrai, jouer ne m'intéressait plus guère. J'avais l'esprit ailleurs.

Au bout d'un moment, Tom vint nous rejoindre.

– Salut, les enfants, dit-il. Je peux tenter ma chance ?

– Bien sûr, répondit Marco en s'écartant pour lui céder ses commandes.

Nous avons joué encore pendant quelques minutes et Tom s'en tirait fort bien, mais il parut soudain se lasser. Il rendit les commandes à Marco et se contenta de s'asseoir et de nous regarder jouer.

– Vous êtes au courant de ce qui s'est passé hier soir, sur le chantier de construction ? nous demanda-t-il soudain.

La surprise fit sursauter Marco.

– Qu'est-ce qui s'est passé ? demandai-je.

– C'est dans le journal, répondit négligemment Tom. Il paraît que des gamins ont tiré des feux d'artifice. Des personnes âgées du quartier se sont imaginées qu'il s'agissait de soucoupes volantes, dit-il en riant. Des soucoupes volantes, rien que ça !

Marco et moi avons ricané à notre tour.

– C'est vrai, je vous jure. Alors qu'il s'agissait simplement de gamins et de pétards, insista Tom.

– Hum, hum, marmonnai-je en faisant tout mon possible pour me concentrer sur le jeu.

– Hier soir, tu étais allé faire un tour au centre-ville, hein ? me demanda Tom.

– Heu…

– Tu es rentré par le chantier ?

– Non.

– Ce n'est pas que je veuille les dénoncer, continua Tom. Il n'y a pas de quoi fouetter un chat. Ces mômes font juste partir quelques pétards, et voilà tous ces gens terrorisés par des soucoupes volantes.

– Ha.

– Des soucoupes volantes, répéta-t-il en riant. Faut être complètement idiot pour croire à des choses pareilles. Tu n'y crois pas, hein ? fit-il en se penchant vers moi. Aux extraterrestres, aux soucoupes volantes et aux petits hommes verts venus de la planète Mars ?

Je faillis lui répondre qu'aucun d'eux n'était ni petit ni vert, mais je me contentai de dire :

– Bien sûr que non.

Tom hocha la tête et se leva.

– Tant mieux. Tu sais, Jake, j'ai l'impression qu'on ne s'est pas beaucoup vus, ces derniers temps.

– Pas des masses, en effet.

– C'est un tort, et il fit claquer ses doigts comme s'il lui venait une idée. Tu sais, tu devrais t'inscrire au Partage. Marco aussi.

– Pourquoi devrait-on s'inscrire ? demanda Marco.

Tom se contenta de sourire.

– Faut que je m'en aille, annonça-t-il en me donnant une tape amicale dans le dos. On se reverra plus tard. Et n'oubliez pas : vous me prévenez si vous apprenez quoi que ce soit sur les gamins du chantier de construction.

Il s'en alla. Marco me regarda.

– C'en est un, Jake.

– Quoi ?

– Tom. Tom en est un. Ton frère est un Contrôleur.

CHAPITRE 12

Je donnai un coup de poing qui atteignit Marco à la tempe. Il fit un bond en arrière, et je frappai à nouveau. Mais Marco était vif. Il esquiva mon deuxième coup, je glissai, et je m'étalai.

Marco arracha le dessus de lit, m'immobilisa les bras avec et s'assit sur moi.

– Cesse de te conduire comme un gosse, Jake !

J'essayai de l'empoigner, mais il me tenait bien.

– Lâche-moi !

– Pas question. Tu t'imagines que c'est une simple coïncidence s'il s'intéresse subitement à ce qui s'est passé sur le chantier de construction ?

Je me rendis compte que cela semblait effectivement bizarre, sans cesser pour autant de me démener et de donner des coups de pied à Marco.

Soudain, je songeai à l'odeur que j'avais flairée sur

Tom quand j'étais morphosé en chien. Et puis il y avait ce rire que j'avais entendu dans le chantier.

Mais non, impossible ! Il s'agissait de Tom, de mon grand frère qui jamais, non jamais, n'aurait laissé ces répugnantes larves s'introduire dans sa tête.

– Je te laisse te relever si tu te calmes, dit Marco. Mettons que je peux me tromper, d'accord ?

J'arrêtai de me débattre, et Marco me libéra.

– Reconnais quand même, Jake, que ça paraît bizarre.

– Tom n'est pas un Contrôleur, compris ? Point final, dis-je.

– Comme tu voudras. Mais ne t'amuse plus à me taper dessus, parce que je serais obligé de me défendre.

A ce moment-là, j'entendis une sorte de froufrou à la fenêtre de ma chambre, comme si on frappait tout doucement aux carreaux. Je m'approchai, suivi de Marco.

Un oiseau était perché sur le rebord de ma fenêtre, un oiseau énorme, ressemblant à un aigle ou à un faucon, qui battait des ailes contre les vitres.

< Ouvre-moi, tu veux ? Je ne peux pas rester comme ça éternellement ! >

Les yeux de Marco s'arrondirent de surprise. Il avait entendu, lui aussi.

J'ouvris la fenêtre, et l'oiseau entra aussitôt. Il se posa sur ma commode. C'était un rapace de près de soixante-dix centimètres de long, presque entièrement brun, avec des serres recourbées et un redoutable bec crochu.

– C'est un aigle ou quelque chose de ce genre, dit Marco.

< Un faucon à queue rousse >, précisa Tobias.

– C'est toi, Tobias ? s'étonna Marco. Je croyais qu'on avait décidé de ne plus morphoser.

< Je n'ai jamais été d'accord sur ce point. >

– Eh bien, dépêche-toi de démorphoser, Tobias, ordonnai-je. Tu te rappelles ce qu'a expliqué l'Andalite : ne jamais rester plus de deux heures dans une animorphe, sinon...

Tobias hésita. Sa tête de faucon s'inclina et m'examina avec une incroyable concentration. Finalement, il vint se poser sur mon lit.

Croyez-moi, voir des plumes se transformer en peau est positivement stupéfiant.

Les rémiges brunes se rapprochèrent, fusionnèrent et devinrent roses. On aurait cru qu'elles fondaient, comme si elles étaient faites de cire et qu'on les chauffait.

Le bec disparut rapidement, et il en sortit des lèvres. Les serres se divisèrent en cinq et formèrent des orteils.

Au milieu du processus de l'animorphe, Tobias était un être mi-brun mi-rose, avec des dessins en forme de plumes encore visibles sur le dos et la poitrine. Son visage était menu et quasi humain, à l'exception des yeux perçants de faucon. Deux petits bras rabougris poussèrent sur sa poitrine, terminés par des doigts de bébé.

C'était un spectacle assez répugnant.

Mais l'ADN humain finit par l'emporter sur celui du faucon, et Tobias devint plus présentable. Trois minutes environ après le début de l'animorphe, c'est un Tobias bien humain qui était assis tout nu au pied de mon lit.

– Je n'ai pas encore trouvé le truc pour morphoser les vêtements, comme Cassie, avoua-t-il d'un air penaud. Tu peux me prêter des fringues ?

Je lui passai un pantalon et une chemise, mais aucune de mes chaussures n'avait la pointure voulue.

– C'est la chose la plus géniale que j'aie faite de ma

vie, s'enthousiasma Tobias le visage illuminé. J'utilisais les thermiques.

– Qu'est-ce que c'est, un thermique ? demandai-je.

– C'est de l'air chaud qui s'élève du sol. Ça forme un coussin sous tes ailes, et tu te laisses porter en plein ciel ! Il te suffit de surfer sur les thermiques. Faut absolument que vous essayiez ça, les gars ! C'est prodigieux !

– Tobias, comment tu t'y es pris pour morphoser en faucon ? demandai-je.

– Il y a un faucon blessé dans la grange de Cassie, répondit-il. Il y a également un pygargue qui n'est pas mal non plus, mais j'ai préféré le faucon.

– Comment as-tu pu voler, si le faucon était blessé ? m'étonnai-je.

Marco secoua la tête avec pitié.

– Jake, tu n'écoutes donc jamais, en classe de biologie ? L'ADN n'a rien à voir avec les blessures. Ce n'était pas l'ADN qui était cassé, seulement une aile.

Je ne relevai pas et continuai :

– Tu as eu du pot de ne pas te faire pincer par le père de Cassie.

– Il est tellement déprimé, soupira Tobias.

– Qui est déprimé ? Le père de Cassie ?

– Non, le faucon. Je crois qu'il se rend compte qu'on ne lui veut pas de mal, mais il ne supporte pas de rester enfermé jusqu'à ce que son aile cicatrise. (Les yeux de Tobias exprimèrent soudain une grande tristesse.) C'est horrible d'être obligé d'emprisonner des oiseaux dans des cages. Ils sont faits pour être libres.

– Très juste, libérez les oiseaux, ricana Marco d'un air sarcastique. Je vais tout de suite faire imprimer les autocollants.

– Tu réagirais différemment si tu avais été là-haut avec moi, rétorqua Tobias avec emportement. C'est amusant d'être un chat ou un chien, mais un faucon… c'est la liberté totale, absolue !

Jamais je n'avais vu Tobias aussi heureux. Il faut dire que sa vie familiale n'était pas drôle. En y réfléchissant, une idée me vint brusquement à l'esprit…

Je répétai la recommandation :

– Jamais plus de deux heures, compris ? Tu surveilles le temps passé, d'accord ?

Tobias sourit.

– D'accord. Je n'ai pas de montre, mais avec des yeux de faucon, tu distingues les aiguilles de celles situées à des centaines de mètres au-dessous de toi.

C'est comme si tu étais Superman. Tu voles et, en plus, tu possèdes la super-vision.

– Maintenant, il se prend pour Superman, marmonna Marco.

– Je regardais autour de moi. Je crois que j'espérais découvrir quelque chose de là-haut, expliqua Tobias. Quelque chose pouvant être un Bassin yirk.

L'expression me sembla vaguement familière. Je me rappelai Vysserk Trois parlant de Bassins yirks.

– C'est quoi, un Bassin yirk ? demandai-je à Tobias.

– C'est un endroit où les Yirks vivent à l'état naturel. Tous les trois jours, ils doivent quitter le corps de leur hôte et aller se plonger dans un Bassin yirk pour s'imbiber de substances nutritives. Notamment de rayons du Kandrona.

Marco et moi nous avons échangé un regard soupçonneux. Nous n'avions entendu parler de cela ni l'un ni l'autre.

– Vous vous souvenez, expliqua Tobias, quand l'Andalite nous a ordonné de fuir, je suis resté un instant en arrière. Probable que j'étais trop terrifié pour m'enfuir.

Je secouai la tête. La vérité, c'était que Tobias n'avait pas voulu abandonner le prince Elfangor.

A ses yeux, il était peut-être plus précieux que nous autres.

– Quoi qu'il en soit, il en a profité pour me communiquer... je suppose qu'on pourrait appeler cela des visions. Des images. Des renseignements. Une masse d'informations d'un seul coup, en vrac. Je n'ai pas encore eu le temps de classer tout ça, mais je suis au courant des Bassins yirks et des rayons du Kandrona.

Marco leva la main pour le faire taire.

– Je vais vérifier un truc, dit-il et il ouvrit la porte de ma chambre pour inspecter le couloir désert. Ça va, on peut y aller.

Tobias lui lança un regard interrogateur.

– Tom, expliqua Marco. Il est avec eux.

– Arrête, ne recommence pas, m'écriai-je. Tom n'est pas un Contrôleur...

– De toute manière, il faut être prudent, dit Tobias en baissant la voix. Le Kandrona est un appareil qui produit des particules Kandrona. Une sorte de version portative du soleil des Yirks. Pour vivre, les ils ont besoin de particules Kandrona comme les humains ont besoin de vitamines. Les particules Kandrona sont donc produites par cet appareil et sont concentrées dans le Bassin yirk. Tous les trois jours, chaque Yirk doit quitter son hôte et se plonger dans le bassin. Il s'y imbibe de particules avant de réintégrer le corps de l'hôte.

– Quel rapport avec tes évolutions aériennes style Superman ? demandai-je.

– Eh bien, maintenant, ça paraît un peu idiot, mais je m'étais dit que je découvrirais peut-être le Bassin yirk, répondit-il avec un sourire triste. J'ai vu un tas de piscines et quelques étangs. De là-haut, on s'aperçoit qu'il y a de l'eau partout. Mais je n'ai rien remarqué de spécial.

– Et qu'est-ce que tu aurais fait, si tu avais repéré un Bassin yirk ? A quoi ça nous aurait avancés ? voulut savoir Marco.

– A ce moment-là, on aurait pu le détruire, répondit Tobias.

– Faux, décréta Marco. On a décidé de ne pas se mêler de ça.

– Non, on a décidé de ne pas prendre de décision pour l'instant, rectifiai-je.

– Eh bien moi, j'ai pris ma décision, dit Tobias.

– Voilà le trouillard brusquement transformé en héros, ricana Marco.

Cette fois, Tobias ne rougit pas.

– Peut-être que je viens seulement de découvrir une raison valable de me battre, Marco.

– Tu n'es même pas fichu de te défendre quand on t'attaque, insista Marco.

– Ça, c'était avant, avoua doucement Tobias. Avant l'Andalite. Avant qu'il ne meure en essayant de nous sauver. Je ne peux pas oublier ça. Je ne peux pas admettre qu'il soit mort pour rien. Alors, quoi que vous décidiez, moi je vais me battre.

CHAPITRE 13

– On cherche le Bassin yirk, proposa Tobias. Et quand on l'a trouvé, on le détruit et on extermine toutes ces abominables larves.

Je m'attendais à ce que Marco pousse des cris de protestation, mais c'est un malin.

Se rendant compte que Tobias m'avait touché en parlant de l'Andalite, il se contenta d'un sourire quelque peu machiavélique.

– Vous vous souvenez du policier de ce matin, fit-il, celui qui tient tellement à savoir qui il y avait sur le chantier de construction ? Le policier qui est probablement un Contrôleur ?

– Bien sûr, et alors ? demandai-je.

– Eh bien, réfléchissons un peu. Ce type t'a invité à t'inscrire au Partage. Et maintenant, c'est Tom qui s'amène et, soudain, c'est lui qui s'intéresse vivement à l'incident du chantier. Et qu'est-ce qui se passe ? Tom t'invite à son tour à t'inscrire au Partage.

Tobias approuva d'un hochement de tête.

– Il se pourrait que le Partage soit un club de Contrôleurs, admit-il.

Marco sourit. D'accord, c'est mon meilleur ami, mais il y a des moments où je lui cognerais dessus.

– Il est à peu près certain que ce policier est un Contrôleur. Et quoi que tu en dises, Jake, je pense que Tom en est également un. Alors, voilà comment ça se présente. Tu veux déclarer la guerre aux Yirks ? me demanda Marco. Parfait. Voyons jusqu'où va ta détermination quand il se trouve que c'est ton propre frère que tu dois combattre.

Je ne sus quoi répondre.

– Ça change un peu des jeux vidéo, hein ? continua-t-il. Cette fois, on est dans la réalité. Tu ne connais rien à la réalité, Jake. Il ne t'est jamais rien arrivé de grave. Tu as une famille parfaite, comme celle que j'avais autrefois.

Il avait des sanglots dans la voix. Jamais il ne parlait de la mort de sa mère. Je compris qu'il avait raison. Je ne connaissais pas la réalité. La réalité telle qu'elle s'était imposée à Marco… et à Tobias.

– Alors, il est peut-être préférable d'abandonner, conclut Marco. De laisser quelqu'un d'autre livrer ce combat. Je suis désolé pour l'Andalite, mais la mort a déjà suffisamment éprouvé ma famille.

– Non, ripostai-je à ma profonde surprise. L'Andalite nous a transmis le pouvoir de morphoser dans un but précis. Pas seulement pour qu'on s'amuse à devenir un chien, un cheval ou un oiseau. Il espérait qu'on se battrait.

– Et si l'ennemi est Tom, insista Marco. Si ça se trouve, c'est ton propre frère que tu finiras par détruire.

– Oui, c'est possible. Ça se terminera peut-être comme ça. Peut-être pas. Mais, de toute manière, la première chose à faire est d'essayer d'en savoir davantage. Et je pense que le meilleur moyen d'y parvenir est probablement d'assister à cette réunion du Partage, ce soir. Je vais téléphoner aux filles. Si elles veulent venir, c'est parfait. Si tu préfères ne pas t'en mêler, Marco, c'est également d'accord.

Il hésita, lança un regard noir à Tobias, mais répondit finalement :

– Bon, ce n'est jamais qu'une réunion. On y va et on voit de quoi il s'agit. Je suis d'accord pour ça.

J'appelai les filles. Rachel accepta aussitôt. Cassie réfléchit un peu, mais accepta.

J'annonçai à Tom que nous souhaitions assister à la réunion, moi, Marco, Rachel et Cassie. Nous avions déjà décidé que Tobias aussi également présent, mais d'une façon différente.

– La réunion de ce soir est particulièrement importante, nous expliqua Tom avec enthousiasme. Nous organisons un feu de camp sur la plage, avec des jeux et des tas de distractions, notamment des matchs de volley-ball dans le noir, ce qui est drôlement amusant parce que, la plupart du temps, on ne voit même pas le ballon. C'est génial ! Ce club, c'est le meilleur de tous. Vous allez adorer.

En l'écoutant, on n'avait vraiment pas l'impression que le Partage était un repaire de Yirks. Impossible d'imaginer Vysserk Trois ou une bande de Taxxons jouant au volley-ball. Je commençais à me dire qu'on était peut-être tous cinglés. Le Partage n'est probablement qu'une nouvelle organisation de scouts, ou quelque chose de ce genre.

La plage n'étant pas très éloignée, nous avons décidé de ne pas prendre la voiture de Tom et de nous y rendre à pied. Tobias fit une partie du trajet avec

nous puis, avant d'arriver sur la plage, il se glissa derrière une dune obscure. Quelques minutes après, il en sortit un faucon. Les thermiques étant rares la nuit, il dut battre énergiquement des ailes pour prendre de l'altitude mais, une fois là-haut, il découvrit probablement un courant ascendant adéquat, car il s'éleva rapidement et finit par disparaître.

– Va falloir que j'essaie ça, dit Cassie. Ça a vraiment l'air formidable.

– Ouais, acquiesçai-je.

Devant nous, le feu flambait haut et clair sur la plage obscure. Tout autour, des gens jouaient, bavardaient, mangeaient... Des jeunes du collège, des adultes, des personnes que je connaissais et d'autres que je n'avais jamais vues. Je me demandai si tous étaient des Contrôleurs. Et mon propre frère, en était-il un ?

Après une heure passée sur la plage, j'étais convaincu de m'être trompé. Ces gens-là ne pouvaient absolument pas être des extraterrestres. Tom et moi avons fait équipe pour disputer quelques parties de volley-ball. Nous avons mangé des côtelettes grillées au barbecue. Tout se passait comme dans une soirée normale. Le sable était encore tiède. La nuit était fraîche mais, près du feu, il faisait bon.

– Tu comprends, maintenant, pourquoi je me plais au club ? me demanda Tom.

– C'est génial, dis-je en regardant tous les gens qui s'amusaient autour de moi. Je ne me doutais pas que c'était aussi sympa.

– Eh bien, ce n'est pas uniquement amusant. Je veux dire que c'est plus qu'une simple distraction. Le Partage peut te rendre toutes sortes de services, à partir du moment où tu es membre actif.

– Comment devient-on membre actif ?

Il sourit mystérieusement.

– Ça, c'est pour plus tard. Commence par devenir membre honoraire. Par la suite, les chefs décideront s'il y a lieu de te proposer de devenir un membre actif. Une fois que tu es membre actif... le monde entier se transforme.

A ce moment-là, il se produisit une chose étrange. Je regardais Tom, qui me souriait. Tout à coup, son visage fut pris d'une sorte de tic. Sa tête se mit à tressauter comme s'il essayait de la secouer sans parvenir à faire de vrais signes de dénégation. Pendant une fraction de seconde, ses yeux exprimèrent... de la peur, ou autre chose. Il me fixait, et on aurait dit que quelqu'un d'autre, quelqu'un d'effrayé, regardait par

les mêmes yeux. Et puis il redevint normal. Ou ce qui paraissait être normal.

– Il faut que je te quitte, dit-il. Les membres actifs tiennent une réunion privée. Vous autres, restez là et amusez-vous. Mangez des côtelettes grillées. C'est sympa, non ?

Sur ces mots, il disparut dans la nuit.

Quelque chose ne passait pas dans ma gorge, comme si j'avais avalé du fil de fer barbelé. Marco et Cassie vinrent me rejoindre. Ils venaient de jouer au Frisbee sur la plage avec les autres, et Marco riait.

– D'accord, admit-il. Je me suis trompé. Ce sont tous des gens comme les autres, qui ne pensent qu'à s'amuser. Et Tom n'est pas un Contrôleur.

Je ne savais pas si je devais rire ou pleurer. C'était maintenant Marco qui se trompait. Je comprenais ce que j'avais vu dans les yeux de Tom : il avait essayé de me mettre en garde. D'une manière ou d'une autre, il était parvenu à maîtriser l'expression de son visage pendant une seconde avant d'être de nouveau sous le contrôle du Yirk logé dans son crâne.

Tom – le vrai Tom, pas le Yirk contrôlant son cerveau – avait essayé de m'avertir.

CHAPITRE 14

– Ils partent tous assister à une réunion privée, annonçai-je. Tous les membres actifs. J'aimerais bien savoir ce qui va se passer à cette réunion.

Je m'efforçais de parler calmement, mais à l'intérieur de moi, je bouillais.

– J'ai vu des gens se diriger de ce côté-ci, précisa Rachel en montrant une direction du doigt.

– Voyons si on peut s'approcher, proposai-je.

– Qu'est-ce qui se passe ? s'énerva Marco. Je croyais que tout était normal ici.

– Ici, rien n'est normal, répondit Cassie en frissonnant. Tu ne le sens pas ? Tous ces prétendus membres actifs sont tellement gentils, tellement serviables. Ils sont si normaux que c'est anormal. Et leurs yeux n'arrêtent pas de vous observer, de vous surveiller. De vous épier comme des chiens affamés fixant un os.

– Ils font peur, insista Rachel. On croirait un mélange de supporters mâtinés de profs de gym auxquels on aurait fait boire dix tasses de café.

– Ils sont un peu trop joyeux, hein ? reconnut Marco. Des gens n'arrêtent pas de me raconter que tous leurs problèmes ont disparu le jour où ils sont devenus membres actifs du Partage. On croirait assister à une sorte de culte.

– Je vais me rendre à cette réunion secrète, annonçai-je car j'avais besoin de savoir, d'acquérir une certitude absolue. Éloignons-nous du feu. Allons là-bas, derrière le poste de contrôle du maître nageur.

– Comment comptes-tu faire ? me demanda Marco.

– Ils ne s'inquiéteront pas de voir un chien errant se balader sur la plage, répondis-je.

– Un chien... oh, fit Marco.

– Bonne idée, approuva Cassie. J'en ferais bien autant, mais je ne peux morphoser qu'en cheval, et un cheval, ils le remarqueraient.

Après m'être assuré que personne ne pouvait nous voir, j'agitai un bras au-dessus de ma tête. Quelques secondes plus tard, Tobias émergea du ciel étoilé en planant silencieusement et se percha sur le siège du maître nageur.

< Qu'est-ce qui se passe ? >

– Les membres actifs sont partis assister à une réunion privée, lui expliquai-je. Tu sais où ils sont allés ?

< Bien sûr. Avec ces yeux-là, je vois les souris filer dans les herbes des dunes. De jolies petites bêtes dodues et appétissantes. >

– Tobias ! Ressaisis-toi. Tu ne vas pas te mettre à manger des souris sous prétexte que tu es dans un corps de faucon. Qu'est-ce que tu dévorerais ensuite ? Des accidentés de la route ?

Il ne répondit pas. Ça l'avait peut-être vexé que je suggère qu'il pourrait un jour se régaler de cadavres. Mais si ça ne l'avait pas vexé, c'était pire.

– Où sont les membres actifs ? lui demandai-je.

< Sur la plage, à une centaine de mètres d'ici. Les dunes forment une sorte de petit amphithéâtre, mais il y a des gardes postés tout autour. >

Je hochai la tête.

– Beau travail. Tobias, il y a plus d'une heure que tu es dans ce corps. Il est temps de démorphoser.

< Non, je vais encore surveiller de là-haut pendant un moment. >

– Non, Tobias, ordonnai-je sèchement. Il faut que tu démorphoses. Tu as fait ce qu'on attendait de toi.

< Ben… il y a un petit problème. Je n'ai rien sur moi. >

– Marco a apporté tes vêtements dans un sac. Rachel et Cassie regarderont ailleurs pendant que tu démorphoseras.

Cassie sourit.

– Il va falloir que je vous apprenne à morphoser tout habillés, messieurs.

Mais Tobias hésitait toujours.

< Je déteste reprendre mon aspect humain. Ça me donne l'impression de retourner en prison. J'ai horreur de perdre mes ailes. >

– Tobias, rien ne t'empêchera de remorphoser en faucon par la suite, lui assura Rachel. Allez au boulot, tous les deux. Je détournerai les yeux pour ménager votre délicate pudeur de mâles.

Je pris une profonde inspiration. C'était seulement ma seconde tentative d'animorphe, et il me semblait toujours grotesque d'envisager sérieusement de devenir un chien. Pourtant, en me concentrant, j'éprouvai les démangeaisons indiquant que l'ADN de Homer s'associait au pouvoir andalite pour aboutir à ma transformation. Et pendant ce temps-là, je voyais des doigts pousser au bout des ailes de Tobias.

– Cramponne-toi à ton côté humain, m'avertit Cassie. Il ne faudrait pas que tu te mettes à poursuivre les chats. Tu dois te concentrer pour garder le contrôle de toi-même.

Je voulus répondre : « Oui, je sais », mais cela donna « Wouah, wouah, grrr ! » J'étais déjà trop morphosé pour émettre un langage humain. Aussi pensai-je ma réponse :

< Oui, je sais, Cassie. Ne t'inquiète pas. >

– Mais je m'inquiète, dit-elle doucement.

Je nichai ma truffe froide dans le creux de sa main, elle me tapota la tête, et je partis sur la plage.

Cassie avait eu raison de me prévenir. Les dunes, le ressac, les pépiements discrets des oiseaux de mer dans leurs nids secrets, tout se combinait de manière idéale pour distraire mon esprit de chien.

J'entendis un animal respirer dans les joncs et, brusquement, s'enfuir ! Je me lançai à sa poursuite sans prendre le temps d'y réfléchir. Il courait, je le poursuivais. Je pense qu'il s'agissait d'un rongeur quelconque, probablement un écureuil rayé, mais je ne l'ai jamais su avec certitude, car il trouva un trou et y plongea.

Pendant un instant, je creusai frénétiquement le

sable avant que mon esprit ne se mette à protester : < Allons, Jake, ce n'est pas ça que tu es censé faire. Arrête ! >

Je m'obligeai à retourner à l'endroit où se tenait la réunion. Quand j'entendis un murmure, je me mis à ramper, puis je réalisai que c'était stupide. Les chiens n'approchent pas en rampant. Ou ils accourent, ou ils se sauvent. Si je jouais le « chien espion », j'attirerais immanquablement l'attention.

Je poursuivis donc mon chemin en trottinant, comme n'importe quel chien faisait sa petite promenade du soir sur la plage, la langue pendante et la queue battant la mesure. La seule précaution qui s'imposait était d'éviter que Tom ne me voie de trop près. Après tout, j'étais le portrait craché de Homer.

Fondamentalement, j'étais Homer.

Je m'approchai du lieu de la réunion, une cuvette entourée de dunes élevées. Vingt ou trente personnes y étaient réunies. Malheureusement, avec ma mauvaise vue de chien, je les distinguais mal dans l'obscurité. Mais je les entendais. Je les entendais même étonnamment bien. Des chuchotements que j'aurais à peine perçus avec mon ouïe humaine étaient aussi bruyants qu'un hall de gare.

Et puis je les sentais. C'est curieux, l'odorat. En tant qu'humain, on n'y prête pas vraiment attention, mais quand je me repliais sur moi-même et laissais s'épanouir mes facultés de chien, l'odorat devenait aussi important que la vue. Différent, mais tout aussi utile dans certains cas.

J'entendis la voix de Tom et flairai une subtile combinaison d'odeurs signifiant qu'il n'était pas bien loin.

Il y avait un homme de garde, mais il se contenta de me jeter un coup d'œil et détourna la tête. Personne ne se soucie d'un chien errant.

Je commençais à comprendre pourquoi l'Andalite nous avait dotés de la capacité de morphoser. Il y a des tas de choses qu'on peut faire en tant qu'animal, alors qu'elles seraient impossibles à réaliser si on était humain.

Les membres semblaient attendre l'arrivée de quelqu'un. J'entendis Tom dire :

– Il ne devrait pas tarder. Justement, le voilà.

Il y eut un mouvement de foule, des murmures discrets. J'entendis un bruit de pas. Je me rapprochai, tout en restant en dehors de la lumière.

– Silence, tout le monde ! dit la voix. Nous avons des problèmes.

La voix ! Je la connaissais : c'était celle que j'avais entendue sur le chantier de construction, celle qui avait ordonné : « Conservez seulement la tête et apportez-la-moi, qu'on puisse l'identifier. »

Je m'approchai discrètement. Avec ma faible vue de chien, je dus plisser les yeux pour distinguer celui qui venait de parler, mais lorsqu'il tourna la tête, je le vis bien. Et je le reconnus. C'était quelqu'un que je connaissais, quelqu'un que je voyais tous les jours au collège.

M. Chapman, le directeur du collège en personne. Mon directeur de collège était un Contrôleur.

– Tout d'abord, on n'a toujours pas retrouvé les gosses du chantier de construction, déclara-t-il d'un ton sec. Je veux qu'on mette la main dessus. Vysserk Trois veut qu'on les retrouve. Quelqu'un a-t-il une indication quelconque ?

Pendant un instant, personne ne parla. Puis j'entendis une deuxième voix familière.

– Ça peut être n'importe qui, commença Tom, mais il se pourrait que ce soit mon frère, Jake. Je sais qu'il lui arrive parfois de traverser le chantier. C'est pourquoi je l'ai fait venir ici ce soir. Pour en faire l'un des nôtres… ou pour le tuer.

CHAPITRE 15

« Pour en faire l'un des nôtres… ou pour le tuer. »

J'eus l'impression de recevoir un coup de massue.

Je me dis que Tom n'était qu'un Humain-Contrôleur, une larve gluante, répugnante, venue d'une autre planète, qui s'était introduite dans son cerveau et le dominait. Quand il me parlait, il n'était même plus Tom, pas vraiment. Il était un Yirk.

Mon frère : un Yirk. Chapman : un Yirk.

Ils étaient partout. Partout ! Comment les arrêter ? Comment pourrions-nous seulement tenter de les arrêter ? S'ils étaient capables de retourner mon propre frère contre moi, s'ils étaient capables d'asservir Tom, comment pourrais-je les arrêter ? C'était impossible. Marco avait raison.

Je crois que si, à ce moment-là, j'avais été complètement humain, le désespoir m'aurait submergé. Mais

les chiens ignorent le désespoir. Ce fut la nature simple, heureuse, confiante de Homer qui me sauva. Pendant un instant, je me laissai aller à devenir mentalement un chien. Je ne voulais pas réfléchir. Je ne voulais pas être un humain. Pendant un moment, j'errai dans les dunes en flairant des odeurs.

Mais je savais que j'avais une tâche à accomplir. Au bout de quelque temps, je renonçai à mon bonheur simple de chien et m'obligeai à réintégrer la pénible réalité.

J'écoutai encore un peu les conversations de la réunion, mais j'étais tellement bouleversé que je ne fis pas vraiment attention à ce qui se disait, me bornant à entendre répéter inlassablement dans ma tête : « Pour en faire l'un des nôtres... ou pour le tuer. »

La seule autre chose qui attira mon attention fut une conversation entre Tom et un autre assistant – un autre Contrôleur – sur la fréquence des visites au Bassin yirk. Tom en venait et se sentait en pleine forme. Il y retournerait lundi soir. C'était la larve cachée dans sa tête qui s'exprimait. Le Yirk qui contrôlait Tom avait besoin de retourner au Bassin yirk.

A ce moment-là, j'entendis une nouvelle voix : Cassie !

Je me dépêchai de contourner la dune pour me rapprocher, mais j'entendais parfaitement la voix de Cassie et une autre que je mis un certain temps à reconnaître : celle de l'agent de police, celui qui était venu le matin même à la ferme.

– Hé, qu'est-ce que vous fichez là ? demanda-t-il.

– Je cherche des coquillages, tout simplement, répondit Cassie.

– Cet endroit est réservé aux membres actifs, expliqua le policier d'un ton sévère. Il est confidentiel. Vous comprenez ?

– Oui, monsieur l'agent, répondit Cassie de sa voix la plus humble.

Je trouvai enfin un endroit d'où je pouvais les voir, mais je vous rappelle que les yeux d'un chien ne sont pas vraiment perçants. Les choses apparaissent comme sur une vieille télé : toutes brouillées, avec des couleurs délavées.

Le policier dévisageait Cassie qui lui tenait tête bravement mais, à l'odeur, je sentis qu'elle avait peur.

– Ça va, vous pouvez partir, finit par déclarer le policier. Mais je vous tiens à l'œil. Retournez avec les autres.

Cassie fit demi-tour et partit sans tarder. Je m'em-

pressai de la rejoindre. Voir un chien surgir subitement de nulle part dut l'effrayer, car elle sursauta.

– Ah, c'est toi, dit-elle.

< Oui. Tu l'as échappé belle. Qu'est-ce que tu fichais là ? >

Elle haussa les épaules.

– Je voulais simplement m'assurer que ça se passait bien pour toi.

< Je courais moins de risques que toi >, fis-je observer.

Nous avons regagné l'endroit où nous attendaient Rachel, Marco et Tobias. Je n'étais pas pressé de retrouver mon corps humain, car mon cerveau de chien me permettait d'oublier facilement pourquoi mon cerveau humain était si triste. Si on me lançait un bâton dans les vagues, je courrais après. L'eau me rendrait heureux. Courir me rendrait heureux.

Maintenant, je comprenais pourquoi Tobias hésitait à quitter son corps de faucon. Devenir un animal pouvait être un agréable moyen d'échapper à tous ses soucis…

Je me décidai à démorphoser. Tandis que je reprenais mon aspect normal, Cassie et Rachel détournèrent les yeux et regardèrent la mer.

Lorsque je fus redevenu complètement moi-même, je dis à Marco :

– Tu avais raison. Tom est un Contrôleur.

Marco ne parut pas satisfait d'avoir raison.

Je leur racontai que Tom avait déclaré à Chapman qu'il m'avait fait venir à la réunion dans l'intention soit de m'utiliser, soit de me tuer.

– Minute, dit Rachel. Chapman est aussi dans le coup ? Notre Chapman ? Chapman, le directeur du collège ?

– J'ai l'impression qu'il est une sorte de chef, expliquai-je. C'est lui qui se trouvait l'autre soir sur le chantier de construction. C'est lui qui a ordonné aux Hork-Bajirs de conserver seulement la tête.

– Ça, c'est du Chapman tout craché, ricana Marco.

– Je propose qu'on s'en aille au plus vite, déclara Tobias.

– Inutile, tout va bien, fis-je. Chapman a répondu à Tom qu'il ne fallait tuer personne pendant une réunion du Partage. Ils ne veulent pas éveiller les soupçons. Il a également précisé qu'ils ne pouvaient pas se permettre de supprimer tous les jeunes susceptibles de s'être trouvés dans le chantier de construction. Il leur fallait une preuve.

– Ce scrupule les honore, remarqua Rachel.

– Pas vraiment. Chapman a seulement dit que, pendant quelque temps, ils devaient encore éviter d'attirer l'attention. Si un certain nombre de jeunes disparaissent, les gens le remarqueront sûrement. Il a dit qu'il fallait attendre car les enfants sont incapables de tenir longtemps leur langue. Le jour où ils se vanteront d'avoir vu des extraterrestres, les Contrôleurs les trouveront et les supprimeront.

– Seulement nous, on ne parlera pas de ce qu'on a vu, déclara Rachel.

– Très juste, approuva Marco. On ne dit rien. On oublie tout. On mène notre vie habituelle et c'est tout.

– Et on laisse Tom aux mains des Yirks ? remarquai-je. Pas question. Jamais de la vie. C'est mon frère, et je vais le sauver.

– Comment comptes-tu t'y prendre ? demanda Marco d'un ton sarcastique. Si j'ai bien compris, tu t'attaques à Chapman, aux policiers, à une bande d'Hork-Bajirs et de Taxxons et, pire que tout, à ce monstre de Vysserk Trois. Ton seul moyen de les combattre, c'est de te changer en chien et de leur mordre les chevilles. C'est comme si tu jouais au jeu vidéo le plus insoluble qu'on ait jamais imaginé.

Je souris. Ou, tout au moins, je montrai mes dents.

– C'est vrai, c'est bien comme ça que ça se présente. Mais je suis plutôt bon aux jeux vidéo.

– Et il ne se battra pas tout seul, ajouta Rachel. Je suis avec lui.

– Moi aussi, dit Tobias.

– Et moi également, continua Cassie.

– Super, fit Marco. Vous voilà brusquement devenus Quatre Super-héros. Seulement, ce n'est pas une BD. C'est la réalité.

Nous avons entendu marcher dans les dunes. La réunion des membres actifs était terminée.

– Silence, tout le monde, chuchotai-je. On laisse tomber… pour l'instant.

J'avais dit cela pour rassurer Marco, car je n'avais nullement l'intention de laisser tomber. J'entraînai Cassie à l'écart.

– Écoute, Cassie, j'ai besoin d'une animorphe qui me permette de surveiller Chapman sans qu'il s'en doute. Qu'est-ce que tu as à la ferme ?

Cassie réfléchit un instant.

– Voyons voir… On a un tas d'oiseaux blessés, bien entendu. On a le loup à la patte cassée. On a le chat sauvage à l'œil crevé.

Je la laissai m'énumérer la liste de tous les animaux éclopés hospitalisés au Centre de sauvegarde de la vie sauvage. Brusquement, elle claqua des doigts.

– Je me demande... A ton avis, quel est le plus petit animal susceptible d'être morphosé ?

Je haussai les épaules. Je n'en savais rien.

– J'ai peut-être une idée, dit-elle. C'est un animal qui vit à la clinique sans faire partie des patients. Un résident, en quelque sorte. Il est petit, il sait grimper aux murs et il est très rapide, au cas où tu serais obligé de fuir. Et je suppose qu'il a l'ouïe fine et une bonne vue.

Voilà comment ce même soir-là, un peu plus tard, je me retrouvai à quatre pattes dans la grange de Cassie, rampant sous les cages et, me faufilant entre les pattes d'une paire de chevreuils affolés à la recherche d'un lézard.

CHAPITRE 16

Je tentai l'animorphe le lundi matin dans mon placard, au collège. Je me transformai en lézard.

En anolis vert, pour être précis. C'est un représentant de la très nombreuse famille des iguanes, au cas où cela vous intéresserait.

J'attendis la fin du premier cours, qui était un cours d'anglais. Lorsque tout le monde eut quitté le couloir, je me glissai dans mon placard en m'efforçant de le faire le plus naturellement possible, au cas où quelqu'un m'observerait.

Le placard mesurant cinq centimètres de moins que moi, je dus me baisser. Et il était si étroit que je ne pouvais pas faire un geste. Le seul éclairage provenait des trois petites fentes d'aération. Dans cet espace étriqué, obscur, j'entendis mon cœur battre à tout rompre. J'avais peur.

Parce que c'est une chose de se transformer en chien : c'est bizarre, c'est étrange, mais c'est sympa. Les chiens sont gentils. Mais les lézards ?

– J'aurais dû m'entraîner, murmurai-je tout bas. J'aurais vraiment dû m'entraîner, comme me le conseillait Cassie.

Je commençai à me concentrer sur l'animorphe en me rappelant comment nous avions capturé le lézard, deux nuits auparavant. Nous l'avions repéré avec une lampe torche, et Cassie l'avait coincé avec un seau vide pour l'empêcher de se sauver.

Le simple fait de le toucher pour assimiler le schéma de son ADN avait déjà été assez répugnant. Et maintenant, j'allais devenir ce lézard.

La première chose qui me frappa fut que j'étais soudain plus au large dans le placard. Je n'avais plus besoin de me baisser, et mes épaules n'étaient plus comprimées.

Je me passai la main sur le visage. Ma peau était moins tendue qu'à l'ordinaire et granitée. Je touchai mon crâne : j'avais perdu presque tous mes cheveux.

Les choses commencèrent à se précipiter. Le placard s'agrandit de plus en plus. Il devint aussi vaste qu'une grange. Aussi vaste qu'un stade !

J'avais l'impression de tomber. De tomber du haut d'un gratte-ciel en mettant un temps infini à atteindre le sol.

J'étais posé sur un bloc gluant aussi gros qu'un rocher. Comment un rocher pouvait-il entrer dans mon placard ? Mais je finis par comprendre : il s'agissait d'un chewing-gum, un vieux chewing-gum tout mâchonné, collé au plancher.

Des draperies gigantesques, aussi grandes que les voiles d'un bateau, pendaient autour de moi : c'était mes vêtements. Dans la pénombre, je distinguais deux masses informes, monstrueuses, dressées de part et d'autre de moi : c'était mes chaussures, et elles avaient la taille de maisons.

Et puis le cerveau du lézard se mit en action.

Peur ! Piégé ! Décamper ! Détaler ! Fuir fuir fuir fuir !

Je bondis à gauche : un mur ! J'y grimpai en sentant mes pieds se coller à la paroi. Piégé ! Je bondis à droite : une autre surface lisse. Piégé ! Fuir fuir fuir fuir !

Je m'efforçai de me dominer, mais le lézard était terrorisé. Il ne savait pas où il était et n'avait qu'une envie : sortir. Sortir !

« Va vers la lumière ! ordonnai-je à mon nouveau corps. Les fentes d'aération. Voilà l'issue. »

Mais mon nouveau corps avait peur de la lumière. Je ne pouvais pas maîtriser la panique instinctive du lézard, et je continuais à rebondir d'une paroi à l'autre.

« Va vers la lumière ! » hurlai-je à l'intérieur de ma tête et, brusquement, j'y arrivai. Je glissai ma tête à l'extérieur, et mon corps suivit le mouvement. Ma langue sortit soudain, et cela me causa une impression étrange, comme si je flairais, mais pas tout à fait. Elle continua à rentrer et sortir, et je constatai qu'elle jaillissait de ma bouche et léchait l'air.

En pleine lumière, je me rendis compte à quel point la vue du lézard était déficiente. Je ne comprenais rien à ce que je voyais. Tout était éparpillé et déformé. Le bas était en haut et le haut était en bas. Je percevais les couleurs de manière complètement différente.

J'essayai de réfléchir. « Allons, Jake, tes yeux sont maintenant de chaque côté de ta tête. Ils ne regardent pas dans la même direction. Ce sont des organes indépendants. A toi de t'en accommoder. »

Je m'efforçai d'interpréter les images en tenant compte de cette donnée, mais c'était toujours un fouillis. Je mettais un temps infini à les déchiffrer. Un œil scrutait le couloir vers la gauche, l'autre vers la droite. J'étais à l'envers, la tête en bas, agrippé à la porte du placard qui avait l'air d'une interminable étendue grise.

Et le cerveau de l'anolis vert ne cessait de lutter contre moi. Maintenant qu'il était sorti des ténèbres du placard, il souhaitait désespérément y retourner.

Le bureau de Chapman, me rappelai-je. Mais où se trouvait-il ?

A gauche. Par là.

Soudain, je courais comme un fou. A la verticale jusqu'au pied de la paroi. Zou ! Puis par terre. Zou ! Autour d'un bout de papier deux fois plus gros que moi. Le sol défilait sous moi comme si j'étais ligoté à un missile incontrôlé.

Tout à coup, mon cerveau de lézard détecta la présence d'une araignée. Ce fut une sensation étrange, ne me permettant pas de déterminer si j'avais vu l'araignée ou si je l'avais entendue, ou si je l'avais sentie ou goûtée du bout de ma langue jaillissante de lézard, ou si je savais simplement qu'elle était là.

Avant même d'avoir envisagé la possibilité de m'arrêter, je fonçais sur elle à mille kilomètres à l'heure. Mes petites pattes s'activaient tellement vite qu'on ne les voyait plus.

Ce n'était probablement pas une très grosse arai-

gnée. Pas pour un être humain. Mais à mes yeux de lézard, elle semblait de la taille d'un petit enfant. Je distinguais ses yeux à facettes, chacune des articulations de ses huit pattes et ses horribles mandibules cliquetantes.

L'araignée courut. Je courus après l'araignée. Je fus le plus rapide.

Noooooon ! hurlai-je intérieurement, mais trop tard. Ma tête bondit en avant aussi vite que celle d'un serpent, mes mâchoires se refermèrent, et je me retrouvai avec l'araignée dans la bouche.

Elle se débattait. Je sentis ses pattes se démener frénétiquement pour sortir de ma bouche.

J'essayai de recracher l'araignée, mais pas question : le lézard en avait trop envie.

J'avalai l'araignée. Ce fut comme si j'avalais tout un jambon en conserve. Un jambon en conserve qui se démena jusqu'au bout.

« Non, non, non ! » protestait avec horreur mon cerveau écœuré pendant que celui du lézard exprimait sa satisfaction. Je sentis l'anolis se calmer un peu.

« Ça suffit ! me dis-je. Je laisse tomber cette animorphe ! »

Je voulais sortir de cet horrible petit corps. Et tant

pis si on me voyait. J'allais démorphoser en vitesse et reprendre ma forme humaine. Marco avait raison. C'était de la folie de se mêler de cette histoire. De la folie pure !

J'entendis le sol gronder. Un bruit évoquant un géant faisant trembler la terre sous ses pas.

C'était bel et bien un géant.

Une ombre immense obscurcit le ciel. J'eus l'impression que quelqu'un essayait de m'écraser en faisant crouler tout un immeuble sur ma tête.

La chaussure se rapprochait !

Je l'esquivai en fonçant à gauche.

Une autre chaussure.

Ma queue ! La chaussure s'était posée sur ma queue ! J'étais prisonnier !

CHAPITRE 17

Affolé, je tentai de fuir, mais ma queue était coincée.

Soudain, je me sentis libre. Ma queue s'était détachée de mon corps. En me retournant, je l'aperçus derrière moi, toujours prisonnière de la chaussure géante. Apparemment bien vivante, elle se tortillait comme un asticot sur un hameçon.

La chaussure se souleva et reprit sa marche.

Je grimpai jusqu'en haut d'un mur et m'immobilisai.

Le géant ne m'avait pas vu. Il n'avait pas cherché à m'écraser. C'était purement accidentel. Et maintenant, ma queue... non, la queue du lézard...

Le géant poursuivit son chemin en faisant trembler le sol sous ses pas.

Je fixai sur lui l'un des yeux du lézard, mais autant essayer de regarder à travers un miroir déformant de la foire. Malgré cela, je fus à peu près certain qu'il s'agissait de Chapman.

Je le regardai longer le couloir et, de toutes mes forces, j'ordonnai à mon corps de lézard de le suivre.

Je m'efforçai de ne pas songer à l'araignée qui se trouvait dans mon estomac, ni au fait qu'elle n'était pas tout à fait morte. J'essayai d'oublier qu'une partie de moi-même était restée par terre, se trémoussant comme si elle était toujours vivante. Je me contentai de courir après Chapman.

Parce que Chapman risquait de me révéler une chose utile pour Tom.

Je décidai de le suivre jusqu'à son bureau. Je me cacherais sous sa table et je l'écouterais donner des coups de téléphone. Je me disais que, tôt ou tard, il finirait peut-être par laisser échapper une indication sur l'emplacement du Bassin yirk.

Nous en avions parlé, Cassie et moi. D'après elle, je devrais peut-être rester caché plusieurs jours dans le bureau de Chapman avant d'apprendre quoi que ce soit. Mais la durée de l'animorphe était limitée à deux heures. Et, pendant ce temps-là, je manquerais des cours. Ce qui, tôt ou tard, m'attirerait des ennuis.

Et le plus drôle, c'est que quand on se fait prendre

à sécher des cours, on vous envoie chez le directeur.

J'imaginais la scène : « Je m'excuse d'avoir séché ce cours, monsieur Chapman, mais j'étais dans le corps d'un lézard, en train de vous espionner parce que je sais que vous êtes un Contrôleur et que vous participez à une gigantesque conspiration d'extraterrestres complotant la conquête de la Terre. »

Il y avait de quoi rire, mais le lézard ne sachant pas rire, je me contentai de suivre Chapman. Soudain, il s'arrêta. Étions-nous arrivés à son bureau ?

Je jetai de mon mieux un regard inquisiteur. Il ne me semblait pas que c'était le bureau. L'araignée me décocha un coup de patte dans l'estomac.

Il ouvrit une porte. Je me plaquai au sol et elle me frôla dans un grand souffle d'air. Je me creusai la tête pour situer les lieux. Minute ! C'était le cagibi du concierge, un amas de balais, de seaux et de produits de nettoyage. Qu'est-ce que Chapman venait faire là ?

Il y entra. Je le suivis en évitant les hauts murs de cuir qu'étaient ses chaussures.

J'entendis un bruyant déclic. Il avait fermé la porte à clé derrière moi.

Bien que cela se passât à une grande distance du sol, je le vis tripoter le robinet de l'évier, et il me sembla qu'il empoignait l'un des crochets auxquels on suspend les serpillières mouillées. Je fus à peu près certain qu'il le tournait, car j'entendis un grincement.

Et, à ma profonde stupeur, le mur bougea.

Une porte s'ouvrait maintenant à l'endroit où se trouvait précédemment le mur. Il en sortait des odeurs étranges et des bruits encore plus étranges.

Chapman franchit cette porte. Elle donnait sur un escalier s'enfonçant dans un gouffre éclairé d'une lueur pourpre.

Très loin, à des kilomètres de profondeur, j'entendis un bruit étouffé. C'était un cri. Un cri de peur et de désespoir. Une voix humaine hurlant dans les ténèbres de cet horrible endroit.

– Non ! gémit la voix. Nooon !

Je compris ce que signifiaient ces cris. Je compris ce qui se passait. Au fond de ce trou, un être humain sentait une vermine de Yirk s'immiscer dans son cerveau. Quelque part là-dessous, un homme était transformé en esclave des Yirks.

Chapman descendit l'escalier. La porte se referma derrière lui.

J'avais découvert le Bassin yirk.

Il était situé juste au-dessous de mon école.

CHAPITRE 18

– Des cris, dis-je. Des cris humains. Ils semblaient lointains, mais c'est de là qu'ils venaient.

Mes amis me regardèrent. Tous sauf Marco, qui détourna les yeux. C'était l'après-midi du même jour, juste après l'école. On était allés faire un tour en ville, estimant que c'était le meilleur moyen de ne pas attirer l'attention. Personne ne trouve anormal de voir des jeunes se balader en groupe dans le centre-ville.

Assis à une table de la cafétéria, nous mangions des nachos. Depuis que j'avais avalé l'araignée, j'essayais de l'oublier en me gavant de nourriture exotique.

– A ce moment-là, tu étais un lézard, fit observer Marco. Tu as peut-être mal entendu.

– Non, j'ai bien entendu.

– Je ne peux pas supporter l'idée de ce qu'on inflige

à des gens dans cet endroit, déclara Cassie en frissonnant. C'est écœurant.

– Il faut faire quelque chose, ajouta Rachel.

– C'est ça, dit Marco. On fonce là-bas tout de suite. Du coup, on sera les prochains à hurler.

Je m'aperçus que j'avais perdu mon appétit pour les nachos.

– Marco, tu ne peux pas te contenter d'ignorer ce qui se passe, fit Rachel.

– Et comment que je peux ! Il me suffit de me rappeler un petit détail. Devinez lequel ? Que je ne veux pas mourir.

– Alors, c'est la seule chose qui compte, hein ? reprit Rachel indignée. Faire uniquement ce qui convient le mieux à M. Marco.

– Je ne crois pas que Marco soit égoïste, intervint Cassie. Bien au contraire. Il pense à son père. A ce que deviendrait son père si jamais...

– Il n'est pas le seul à s'inquiéter pour les autres, insista Rachel. Moi aussi j'ai une famille. Nous avons tous une famille.

– Pas moi, dit doucement Tobias avec son petit sourire triste. C'est vrai. Personne ne s'inquiète de ce qui pourrait m'arriver.

– Si, moi, fit Rachel.

Cela me surprit. Rachel n'est pas précisément une sentimentale.

– Écoutez. Je ne demande à personne de m'accompagner, mais je n'ai pas le choix. Aujourd'hui, j'ai entendu ce cri, et je sais que ce soir, Tom descendra là-dedans. C'est mon frère. Il faut que j'essaye de le sauver. (Je tendis les mains avec fatalisme.) Je suis obligé d'agir. Pour Tom.

– Je viendrai avec toi, dit Tobias. Pour l'Andalite.

– Nous sommes les seuls à pouvoir tenter quelque chose pour arrêter les Yirks, continua Rachel. Je suis morte de trouille rien que d'y penser, mais j'irai.

Marco parut mal à l'aise. Il me foudroya du regard et secoua la tête.

– C'est stupide, s'exclama-t-il. Complètement stupide. Si ce n'était pas pour Tom, je laisserais tomber.

– Écoute, Marco, rien ne t'oblige...

– Oh, tais-toi ! cria-t-il. Tu es mon meilleur ami. Tu crois vraiment que je vais te laisser affronter ces créatures tout seul ? Je suis avec toi. Je suis avec toi pour sauver Tom, un point c'est tout. Après ça, terminé !

Seule Cassie avait gardé le silence. L'air songeur, elle regardait au-dessus des têtes des passants.

– Vous savez, dans l'ancien temps – je parle d'une époque vraiment très, très ancienne –, les Africains, les Européens, les Indiens... tous croyaient que les animaux ont des esprits. Et ils invoquaient ces esprits pour se protéger des dangers. Ils demandaient sa ruse à l'esprit du renard, sa vue à l'esprit de l'aigle, sa force à l'esprit du lion. Je pense que ce que nous faisons est en quelque sorte inné, bien que ce soit le pouvoir andalite qui l'a rendu possible. Nous ne sommes toujours que des pauvres humains apeurés, essayant de s'approprier la ruse du renard et les yeux de l'aigle... ou du faucon, ajouta-t-elle en souriant à Tobias. Et la force du lion. Tout comme il y a des milliers d'années, nous faisons appel aux animaux pour nous aider à lutter contre le mal.

– Leur pouvoir sera-t-il suffisant ? demandai-je.

– Je ne sais pas, reconnut gravement Cassie. C'est comme si toutes les forces élémentaires de la planète Terre étaient engagées dans la bataille.

Marco leva les yeux au ciel.

– C'est une belle histoire, Cassie. Mais nous sommes cinq adolescents normaux, ayant pour adversaires les Yirks. S'il s'agissait d'un match de foot, sur quelle équipe parierais-tu ? On est vaincus d'avance.

– N'en sois pas si sûr, dit Cassie. Nous combattons pour notre mère la Terre, et elle a plus d'un tour dans son sac.

– Tant mieux, ricana Marco. Allons prendre une triple ration de vitamines et partons arracher quelques arbres.

Tout le monde rit, y compris Cassie.

– Cassie a raison sur un point, déclara Rachel. Notre seule arme est l'animorphe et, jusqu'ici, nous avons uniquement morphosé en chat, en oiseau, en chien, en cheval et en lézard. Je pense qu'il faut augmenter notre force de frappe. Allons faire un tour au zoo. Nous avons besoin d'emprunter un complément d'ADN à quelques animaux plus sauvages.

J'approuvai d'un hochement de tête.

– D'accord. Je ne crois pas qu'un faucon, qu'un cheval ou un lézard soient capables d'impressionner les Yirks. Nous avons besoin d'un peu d'aide des plus robustes animaux de la Terre. Tu peux nous faire entrer ? demandai-je à Cassie.

– Moi, j'entre gratuitement, répondit-elle. Vous, vous serez obligés de payer, mais je peux vous faire bénéficier du tarif des employés grâce à maman, ça vous coûtera moins cher.

– Oh, je suis persuadé qu'on pourrait les convaincre de nous laisser entrer sans payer, dit Marco. Il suffirait de leur dire qu'on est les Animorphs.

– Leur dire qu'on est les quoi ? demanda Rachel.

– Des inconscients, rectifia Marco.

– Les Animorphs…

Je me répétai le mot. Il sonnait bien.

CHAPITRE 19

Nous avons aussitôt quitté le centre-ville et pris le bus conduisant au Parc, situé à l'autre bout de la ville. Pendant le trajet, j'essayai de mettre mes cahiers à jour.

Ayant manqué plusieurs cours ce jour-là, j'empruntai les notes de mes amis. Celles de Rachel étaient impeccables. Celles de Tobias étaient illisibles et agrémentées en marge d'un tas de petits dessins. Il me fallut un moment pour comprendre que ceux-ci représentaient des maisons, des gens et des voitures vus du ciel.

– Ce n'est pas la peine que j'entre au Parc, déclara Tobias pendant que nous réunissions nos maigres économies pour acheter les billets. Mon animorphe de faucon me suffit. Je n'ai pas envie d'être autre chose.

– Je pense que c'est une erreur, remarqua Rachel.

Notre seul pouvoir est la capacité de morphoser. Nous devons acquérir le plus d'animorphes utiles possibles.

– En quels animaux pourrions-nous morphoser pour être de taille à affronter Vysserk Trois quand il se transforme en l'énorme monstre qui a mangé l'Andalite ? demandai-je car aucun pensionnaire de ce zoo ni d'aucun autre n'était susceptible d'affronter ce monstre.

Marco cligna de l'œil.

– Les puces ? suggéra-t-il. Personne ne peut venir à bout des puces. Elles le démangeront jusqu'à ce qu'il en meure.

Je ne pus m'empêcher de sourire.

– Te voilà devenu bien optimiste tout à coup.

– Non, j'ai seulement tellement peur que ça me rend dingue. Je n'ai pas encore essayé de morphoser. Vous autres, vous y êtes tous passés. Je ne suis même pas un débutant en la matière. Je suis toujours normal.

– Je me sens absolument normale, protesta Cassie apparemment troublée.

– Cassie, tu peux te transformer en cheval, dit Marco. C'est à la portée de bien peu de personnes

normales. C'est différent pour Jake, qui s'est transformé en lézard. Jake a toujours été un reptile.

Je donnai un coup de coude amical à Marco, mais il l'esquiva. C'était chouette de l'avoir avec nous... même s'il était complètement fou.

Il nous fallut environ une demi-heure pour arriver au Parc. En descendant du bus, je me sentais nerveux, pas du tout dans mon état habituel. D'ordinaire, j'adore aller m'y balader mais, jusqu'à maintenant, je n'y suis jamais allé pour y affronter des bêtes féroces.

Le Parc est essentiellement un centre de loisirs avec des tas de manèges : un train fantôme (mon préféré), une grande roue, des toboggans qui vont dans l'eau et bien d'autres encore.

Mais il y a aussi une partie avec des animaux, qui ressemble plus à une réserve naturelle qu'à un zoo. On y assiste à des numéros de dauphins, et il y a tout un endroit où on peut approcher certaines des espèces les moins dangereuses. Quant au rocher aux singes, c'est pratiquement un village. Bref, si j'étais un animal et si je devais vivre dans un zoo, c'est là que je voudrais être.

Cassie nous conduisit au bâtiment principal, qui abrite toutes sortes de choses étonnantes. On y trouve toutes les bêtes sauvages, sauf les plus grandes qui ont besoin de beaucoup d'espace. Celles-là sont à l'extérieur, pour la plupart dans des enclos verdoyants qui ressemblent à des champs. Des champs entourés de murs, de fossés et de barrières.

Le bâtiment principal est censé ressembler à une forêt vierge. C'est là que vivent les animaux qui ont continuellement besoin de chaleur. Un chemin y serpente, ombragé de grands arbres tropicaux et jalonné de buissons séparant les divers enclos.

Certains sont tout petits alors que d'autres sont relativement vastes, comme celui des loutres qui comporte une cascade et un toboggan permettant aux loutres de faire des glissades.

Nous étions proches de l'enclos des loutres lorsque Cassie s'arrêta.

– Bon, maintenant on reste groupés et on essaie de ne pas avoir l'air trop suspects, dit-elle. Je vous emmène à l'intérieur.

– A l'intérieur de quoi ? demanda Marco.

– Eh bien, le bâtiment est disposé de telle manière que chacun de ces enclos est desservi par un couloir. C'est par là qu'on nourrit les animaux et qu'on leur donne éventuellement des meds. Med signifie médi-

cament, excusez-moi. Bon, on va entrer par là, expliqua-t-elle en désignant une porte dérobée.

Entre l'extérieur et l'intérieur, l'ambiance changeait radicalement. Alors qu'une minute plus tôt nous arpentions une fausse forêt vierge, nous nous retrouvions brusquement dans ce qui aurait pu être un couloir du collège. A l'odeur près : cela sentait davantage l'humidité, la crasse et le moisi. Un peu comme dans le vestiaire des garçons.

– Bon, écoutez, si un employé nous arrête, on raconte qu'on vient voir ma mère, nous prévint Cassie. Normalement, elle n'est pas là à cette heure-ci. Enfin, j'espère, parce que si jamais elle apprend que j'ai amené ici quatre de mes copains... eh bien, je ne pourrai pas sauver le monde d'une invasion d'extraterrestres si je suis privée de sorties. Mais avec un peu de chance, on ne verra personne dans les parages.

Nous avons longé le couloir en ayant le sentiment d'être des intrus. Ce qui était le cas. De chaque côté, des corridors latéraux conduisaient aux divers enclos. Malheureusement, les portes de ceux-ci n'étaient identifiées que par un numéro.

J'en conclus qu'il nous faudrait compter sur Cassie

pour nous orienter. Derrière certaines de ces portes vivaient des animaux avec lesquels on n'avait aucune envie de se trouver nez à nez.

– Qu'est-ce que vous pensez des gorilles, les gars ? demanda Cassie en s'arrêtant devant l'une des portes numérotées. Voici la cage de Big Jim. Comme il vient d'arriver d'un autre zoo, il est actuellement isolé. Il est très doux.

Je mis un certain temps à réaliser ce que Cassie était en train de nous dire.

– Oh. Tu veux savoir si l'un de nous désire assimiler son ADN ?

– C'est pour ça qu'on est là, Jake, fit observer Rachel, et elle se tourna vers Marco. Ça te tente, Marco ? Il me semble que tu as toujours souhaité être un gros costaud velu.

Cette idée ne parut pas l'enthousiasmer, mais je savais comment le prendre.

– Il serait peut-être préférable que Marco commence par quelque chose de plus facile, pour sa première animorphe, dis-je. Un mignon petit koala, par exemple.

Cela le décida.

– Un koala ? fit Marco en me lançant un regard

mauvais. Ouvre cette porte, Cassie. (Il hésita.) Tu dis qu'il est doux, hein ?

– Les gorilles sont extrêmement doux, répondit Cassie et elle ajouta : tant qu'on ne les met pas en colère.

Elle fouilla dans son sac à dos et en sortit une pomme qu'elle tendit à Marco.

– Prends ça. Tu te contentes d'ouvrir la porte. Étant donné la disposition des lieux, aucun visiteur ne te verra, à moins que tu t'avances au centre de la cage. D'ailleurs, vous serez séparés l'un de l'autre par une grille de sécurité. Alors on va ouvrir en espérant que Big Jim a envie de manger.

La porte de bois était bien doublée d'une grille d'acier munie d'une ouverture permettant au personnel d'introduire de la nourriture dans la cage. Le tout était dissimulé par un faux rocher qui cachait la porte aux yeux des visiteurs. Big Jim, lui, nous aperçut aussitôt. Il descendit lourdement du rocher sur lequel il était perché et nous observa à travers les barreaux.

Pour être gros, Big Jim était vraiment gros. Ses doigts avaient le diamètre de mes poignets. Mais notre présence ne semblait pas le contrarier. Ce qui l'intéressait, c'était la pomme. Il examina Marco, renifla comme si celui-ci ne l'impressionnait nullement, et tendit la main.

– Donne-lui la pomme, chuchota Cassie. C'est ça qu'il veut.

– J'ai beaucoup admiré votre prestation dans *King Kong contre Godzilla*, dit Marco au gorille.

Il passa le bras entre les barreaux et tendit la pomme.

Le gorille la prit avec une surprenante délicatesse et l'examina soigneusement.

– Prends-lui la main, dis-je.

– Ben voyons, avec plaisir, ricana Marco.

– Pendant que tu assimiles son ADN, l'animal est pris d'une sorte de transe, expliquai-je. Vas-y, prends sa main et concentre-toi.

Marco se risqua à toucher le poignet du gorille.

– Gentil singe, gentil.

Big Jim l'ignora. La pomme l'intéressait beaucoup plus qu'aucun d'entre nous.

– Concentre-toi, lui ordonna Rachel.

Marco ferma les yeux. Le gorille ferma les yeux.

– C'est fantastique, s'extasia Tobias. Vous vous rendez compte que ce gorille pourrait réduire Marco en miettes ? Regardez ses bras !

Marco ouvrit un œil.

– Tobias ? Je te signale que la peur empêche de se concentrer. Alors si tu la fermais, au sujet de ses bras ?

J'entendis soudain un ronronnement et scrutai les deux côtés de la galerie. Le bruit était produit par un véhicule électrique semblable à ceux qu'on utilise sur les terrains de golf. Il se dirigeait vers nous.

– Ayez l'air naturel, chuchota Cassie, et Marco sortit de la cage de Big Jim en lui claquant la porte au nez. Tant qu'il ne s'agit pas d'un garde du service de sécurité, il n'y a probablement rien à craindre.

Le chariot arriva à notre hauteur. Son conducteur portait une blouse de laboratoire pleine de taches par-dessus sa salopette. A l'arrière du chariot, deux grands seaux de plastique blanc contenaient un produit marron sentant horriblement mauvais.

– Hé, vous êtes Cassie, hein ? dit l'homme. La fille du vétérinaire ? Comment ça va ?

– Très bien, répondit Cassie en faisant un signe de la main et l'employé poursuivit son chemin.

– Ça s'est bien passé, constata Rachel. Il n'a pas eu l'air de se demander ce qu'on faisait là.

– Bon, alors à qui le tour ? reprit Cassie.

Nous nous trouvions à un carrefour d'où partaient quatre couloirs peints en blanc. Un deuxième chariot électrique y était garé.

– Qu'est-ce qu'il y a dans les parages ? demandai-je.

Cassie réfléchit un instant.

– Ce couloir-là mène aux enclos extérieurs. Celui-ci conduit aux bureaux et aux réserves. Ces deux-là desservent les principales vedettes de ce bâtiment. Les plus proches sont… voyons voir… les chauves-souris et les serpents de ce côté, le jaguar et les dauphins de celui-ci.

Rachel mit le cap sur le couloir de droite.

– Des dauphins, dit-elle. J'adore les dauphins.

– Attends, dit Cassie en courant après elle. A quoi ça servirait-il de se transformer en dauphins ?

– A mon avis, on devrait aller dans les grands enclos, estima Marco. Soyons sérieux. Ce qu'il nous faut, c'est de la force de frappe. Venez.

– On reste groupés, ordonnai-je lorsque Marco s'engagea dans une des galeries et je tendis la main pour le rattraper avant qu'il ne soit trop loin.

Et, à cet instant précis, une voix cria :

– Hé ! Hé, vous ! Qu'est-ce que vous fichez là, les mômes ?

J'aperçus un homme vêtu d'un uniforme marron.

– Le service de sécurité ! gémit Cassie. Oh, mon Dieu, il va nous emmener au bureau et il téléphonera à maman. Et je ne veux absolument pas la mettre au courant.

– Séparez-vous ! criai-je en m'efforçant de prendre un ton de chef. On fait comme au chantier : un type seul ne peut pas nous attraper tous !

– Celui-là ressemble beaucoup plus à mon grand-père qu'à l'Hork-Bajir qui nous poursuivait, dit Rachel.

– Bougez pas, les mômes !

– Oh, mon Dieu. Oh, mon Dieu, se lamenta Cassie qui courut dans l'un des couloirs, suivie de Rachel et de Tobias.

Marco était déjà à vingt mètres de moi dans un autre couloir, celui qui conduisait aux grands enclos. Je courus après lui.

Le garde atteignit le carrefour. Il commença par regarder du côté de Tobias et des filles, puis se tourna vers Marco et moi. Il faut croire que nous paraissions plus suspects, car ce fut nous qu'il choisit.

– Stop ! Vous avez intérêt à vous arrêter, les enfants.

– On prend le chariot électrique ! proposa Marco.

– Piquer un chariot électrique ?

– Si on ne le prend pas, c'est ce garde qui le prendra.

– Très juste.

Nous avons sauté dans le chariot. Marco se mit au volant, tourna la clé de contact et me regarda.

– Ça doit marcher comme les autos tamponneuses, hein ?

– Essaye quand même de ne rien tamponner.

Son pied enfonça la pédale, le moteur électrique vrombit, et nous avons démarré. Tout droit dans le mur.

Boum !

– Tu pourrais peut-être tourner le volant ! hurlai-je.

Il recula et nous repartîmes. Nous prenions de la vitesse. Suffisamment pour distancer le garde, mais quand je me retournai, il courait toujours après nous.

– Il va avoir une attaque, dis-je.

– De quel côté ?

– Hein ?

– De quel côté on va ?

Je regardai vers l'avant. Nous avions atteint un embranchement.

– A droite ! criai-je.

Comme prévu, Marco tourna à gauche. Je faillis tomber du chariot.

Presque aussitôt, nous rencontrions un autre croisement. Cette fois, Marco choisit la droite. Et je tombai pour de bon du chariot.

J'atterris sur le lino, où je roulai sur moi-même avant de me relever et de courir après le chariot.

– Qu'est-ce que tu fiches ? me demanda Marco. C'est pas le moment de faire l'idiot !

Je lui lançai un regard noir et remontai sur le siège.

– J'ai l'impression qu'on a semé le garde, dit Marco.

– Je n'ai rien de cassé, merci de te soucier de ma santé, lui fis-je remarquer. Tout au plus quelques bleus. Peut-être le crâne fêlé. Rien de grave.

– Où crois-tu qu'on est ?

– Je crois qu'on est dans le tunnel le plus long que j'aie jamais vu.

Car cela ressemblait de plus en plus à un tunnel. Le sol était toujours revêtu de lino et les murs étaient toujours blancs, mais les lumières étaient plus espacées, si bien qu'on avait absolument l'impression d'être sous terre.

– Je me demande s'ils ont attrapé les autres, s'inquiéta Marco. Est-ce que tu commences à comprendre que c'est dingue d'imaginer qu'on pourrait vaincre les Yirks ? Faut pas rêver : on est tout juste capable de vaincre le service de sécurité du zoo.

– On n'a encore vaincu personne, bougonnai-je. Regarde !

A bonne distance de nous se tenaient deux hommes en uniforme marron.

– Ils ne savent peut-être pas qui on est, suggéra Marco. Si ça se trouve, ils nous prennent pour de vrais employés.

– Possible. Mais ils changeront d'avis en nous voyant de près. Voilà un embranchement. Prends-le.

Nous avons tourné. Au même moment, les gardes se mirent à hurler. Le couloir devint plus étroit. Trop étroit pour un chariot électrique.

– Arrête-toi !

Je sautai du chariot. Marco en fit autant. On entendait les pas des gardes courant dans le tunnel principal. Ils étaient en meilleure forme que le vieux. Ils savaient courir.

Le couloir se termina brusquement en cul-de-sac. Il y avait deux portes, l'une à gauche, l'autre un peu plus

loin sur la droite. Elles étaient numérotées P-201 et P-203. Ce qui ne nous apprenait rien.

– Choisis une porte, me dit Marco.

Je respirai à fond.

– La porte numéro 1.

J'ouvris la P-201. Une bouffée d'air frais me balaya le visage et le soleil m'aveugla. Je battis des paupières, essayant de m'habituer à la lumière.

Le rhinocéros battit également des paupières.

– Ahhhhhh ! criai-je.

– Ahhhhhh ! cria Marco.

Rapidement, nous fîmes demi-tour en claquant la porte.

– Mauvais choix ! s'exclama Marco.

– Indiscutablement mauvais !

– Hé, les gosses ! Restez où vous êtes !

Les gardes étaient à l'entrée du couloir.

– Essayons la porte numéro 2 ! proposai-je.

– Vas-y.

Nous avons ouvert la porte et nous sommes entrés.

Nous étions entourés d'arbres. D'arbres et de verdure. Le soleil qui filtrait à travers les branches nous laissait dans l'ombre. Devant nous, les fourrés faisaient place à une étendue d'herbe.

– Où sommes-nous ? demanda Marco.

– Comment veux-tu que je le sache ?

Nous nous sommes frayé un chemin entre les buissons en scrutant prudemment les alentours. Nous ne vîmes pas trace d'animal, en dehors de quelques oiseaux dans les arbres.

– Hé, y a du monde ! s'exclama Marco en se cachant derrière un fourré et en montrant quelque chose du doigt.

Des gens étaient alignés derrière une balustrade. Ils occupaient une position surélevée. A moins que ce ne soit nous qui soyons en contrebas. J'écartai les branchages pour mieux voir. Le garde-fou auquel s'appuyaient ces gens était situé au sommet d'un haut mur de béton. Les buissons les empêchaient de nous voir, mais ils n'en regardaient pas moins quelque chose.

– Pas d'erreur, on est dans un enclos, dis-je. Ces gens-là contemplent... l'habitant de cet enclos. J'espère que ce n'est pas le rhinocéros : il est vraiment trop gros.

– Comment sort-on de là ?

– Je n'en sais rien, mais éloignons-nous de la porte. Les gardes ne vont pas tarder à arriver.

Mais, à dire vrai, je me demandais tout bas pourquoi les gardes ne nous avaient pas encore rejoints.

En rampant à travers les fourrés et en contournant les troncs des grands arbres, Marco et moi avons atteint un endroit du mur où aucun des visiteurs perchés au sommet ne pouvait nous apercevoir.

– Il est bougrement haut, ce mur, remarqua Marco. Au moins dix mètres. C'est mauvais signe. Il y a sûrement une bonne raison. Il y a quelque chose, là-dedans, qu'on ne veut pas laisser échapper.

J'examinai le mur. Une échelle de fer était scellée dans le ciment à une cinquantaine de mètres de nous.

– J'ai l'impression que c'est la seule issue.

– Tu permets que je te pose une question ? demanda Marco. Pourquoi les gardes ne nous ont-ils pas poursuivis ? Je veux dire que si cet enclos était celui du cerf ou de l'antilope, ils y entreraient tout de suite, non ?

– Faut réfléchir, répondis-je, pas s'affoler. J'essaye de ne pas m'interroger sur la raison pour laquelle les gardes ne sont pas entrés ici. (Je reculai dans l'ombre des fourrés.) Au fond, cet enclos est peut-être inoccupé.

Je m'accroupis sur mes talons.

Je me concentrais déjà de toutes mes forces sur le tigre. Je me concentrais sur ses crocs. Je me concentrais sur les muscles qui ondulaient sous sa fourrure roux et noir. J'étais totalement concentré sur le fait qu'il suffirait d'une pichenette de cette grosse patte massive pour expédier ma tête à l'autre bout de la pelouse comme un ballon de football.

Et puis la respiration du tigre se ralentit. Ses yeux clignèrent deux ou trois fois et se fermèrent lentement.

– Combien de temps ça dure, la transe ? se renseigna Marco.

– Oh, une dizaine de secondes après que tu as rompu le contact. Avec Homer, c'est ce que ça a duré.

– Dix secondes ? Dix secondes ?

– Oui, alors tiens-toi prêt à foncer.

– Ça fait longtemps que je suis prêt à foncer !

Au moment de reculer, j'hésitai. Ce fut un instant étrange car, à cet instant, je réalisai ce que j'étais en train de faire. Cela me frappa brusquement. Ce tigre devenait une partie de moi. Toute sa force, toute son assurance passaient en moi.

– Il est beau, hein ? dis-je.

Mon postérieur entra en contact avec quelque chose de chaud.

J'eus aussitôt un affreux pressentiment. Je levai les yeux vers Marco. Normalement, il a le teint plutôt coloré, mat, mais là, son visage était blafard. Avec des yeux immenses.

– Marco, demandai-je très lentement et tout doucement, il y a quelque chose derrière moi ?

Il fit oui de la tête.

– Qu'est-ce que c'est, Marco ?

– Ben, Jake… c'est un tigre.

CHAPITRE 20

Un tigre de Sibérie, un mâle, pour être précis. Trois mètres de long, trois cent cinquante kilos de rapidité fulgurante et de force incroyable.

Vous avez vu les vieux films de Tarzan qui passent parfois à la télé, ceux où Tarzan se bat contre un tigre à mains nues ? Et finit par l'emporter ? Je vais vous dire une bonne chose. Vous voulez savoir combien vous avez de chances de vous battre contre un tigre et d'en sortir vivant ? A peu près autant que de sauter du haut de l'Empire State Building et d'atterrir indemne.

– J'ai une idée, bredouilla Marco. On se tire.

– Ne cours pas. Ça pourrait attirer son attention.

– Je crois qu'il nous a vus, dit Marco. A mon avis, il sait qu'on est là, Jake. Il me semble que ses yeux sont fixés sur nous ! Il a de ces crocs !

– Pas de panique. J'ai une idée : l'an
trape son ADN, il entrera en transe.

– Attraper ? Qu'est-ce que tu veux at
rien en lui que tu puisses attraper. C'est
traper. Il va t'attraper pour son dîner ! Il t
recrachera les os.

J'avalai péniblement ma salive et ess
cher le tigre, mais ma main tremblait trop
deux fois à fond. Il paraît que c'est censé v
Notez bien que ça doit marcher… sauf q
pratiquement assis sur un tigre. Dans ce
absolument rien ne peut vous calmer.

– Gentil tigre, murmurai-je.

Il se contenta de me regarder d'un air n
ment indifférent, avec une assurance tot
plète, absolue. Un peu comme s'il me
comique. Comme si ça l'amusait de me
trembler de peur.

– Ne me tuez pas, s'il vous plaît, dis-je.

– Moi non plus, ne me tuez pas, ajouta Ma

Ma main tremblante se tendit vers le tigre.
vit des yeux. Elle se posa sur son flanc qui se
vait et s'abaissait au rythme de sa respiration.

– Concentre-toi, me chuchota Marco.

Je m'attendais à un sarcasme quelconque de la part de Marco, mais il acquiesça :

– Oui, très beau. Mais filons d'ici avant qu'il ne nous montre pourquoi il est le roi des animaux.

– Ça, c'est le lion, rectifiai-je. C'est le lion qui est censé être le roi des animaux, mais ce n'est pas la peine de le dire au tigre. Tu es prêt ?

Il hocha la tête.

– Maintenant ! criai-je.

Je me levai d'un bond, et nous courûmes vers l'échelle. Mentalement, je comptais les secondes : une, deux, trois…

Quelque chose bougea. Très vite ! Un éclair orange et noir !

Je compris brusquement. Il n'y avait pas qu'un seul tigre dans l'enclos.

J'entendis les visiteurs pousser des cris au-dessus de moi. Ils devaient nous voir, maintenant qu'on était sortis des broussailles.

Marco bondit, empoigna les barreaux de l'échelle et grimpa à toute vitesse. Je le suivis à un dixième de seconde. Le tigre s'élança. Ses griffes s'attaquèrent au ciment tout près de moi, et il poussa un rugissement qui fit vibrer les échelons sous mes doigts.

Gggggggrrrraaaawwwrrrr !

Quel bruit ! Il tonna et se répercuta dans mes oreilles et me liquéfia les entrailles.

Marco s'envola littéralement jusqu'au sommet de l'échelle et par-dessus le parapet. Je le suivais de près.

C'est incroyable, la vitesse à laquelle on peut escalader une échelle quand on est poursuivi par un tigre en furie.

– Les voilà ! s'écria quelqu'un. Attrapez-les. Halte !

Les gardes ! Ils étaient au moins trois.

– Qu'est-ce qu'on fait maintenant ? me cria Marco. On morphose ?

– Non ! On se mêle à la foule ! De ce côté-là ! Près du bassin des dauphins.

Ce fut limite, mais nous avons réussi à rejoindre une foule importante, avec quelques mètres d'avance sur les gardes.

A partir de là, il ne nous resta plus qu'à nous faire tout petits et à nous faufiler parmi les badauds jusqu'à ce que les gardes nous perdent de vue.

Nous nous sommes frayé un chemin jusqu'à la sortie, toujours pliés en deux pour que nos têtes ne dépassent pas.

– Qu'est-ce qui t'arrive, tu as morphosé en nain ?

C'était Rachel. Plantée devant moi, elle avait l'air de s'amuser. Tobias et Cassie étaient également là.

– On avait les gardes à nos trousses, répondis-je encore tremblant, en commençant à me remettre de mon tête-à-tête avec les tigres.

– Oh, arrête de faire le clown, Jake, dit Rachel. Allez, on s'en va. Je dois être rentrée pour le dîner.

Finalement, les trois autres n'avaient pas été poursuivis du tout. Ils avaient facilement semé les gardes et continué tranquillement à acquérir de nouvelles animorphes pendant que Marco et moi risquions notre vie dans l'enclos des tigres. Le plus vexant fut qu'aucun d'eux ne voulut croire à notre histoire. Marco et moi nous leur en avons voulu un peu.

Nous avons pris le bus et nous nous sommes effondrés sur les banquettes.

– On aurait pu se faire tuer, expliqua Marco en faisant la grimace. Sincèrement. Croyez-moi : il s'en est fallu de quelques centimètres.

– Mais oui, bien sûr, ricana Rachel. De toutes manière, quels que soient les dangers que tu penses avoir affrontés cet après-midi, ce sera probablement de la rigolade en comparaison de ce qui nous attend ce soir.

– Ce soir, dit Cassie en secouant la tête. Alors que je n'ai même pas commencé à réviser le contrôle de math de demain.

Rachel éclata de rire.

– Il se pourrait qu'on n'ait pas de souci à se faire pour demain.

– Merci, mademoiselle l'optimiste, murmura tout bas Marco.

CHAPITRE 21

– Où as-tu passé l'après-midi ? me demanda ma mère alors que nous étions à table pour le dîner.

Question dîner, ma famille est très à cheval sur les traditions. Tout le monde doit y assister. Pas de télé. Ma mère, qui est écrivain, déteste la télé, sauf quand il s'agit de l'un de ses programmes préférés.

– Où je l'ai passé ? répétai-je. Oh… par-ci par-là. Tu sais ce que c'est. Je me suis promené avec Marco.

– Je ne comprends pas pourquoi tu te donnes la peine de lui poser la question, ajouta mon père. Sa réponse est toujours la même : il s'est promené.

– Et toi, p'pa, qu'est-ce que tu as fait au boulot, aujourd'hui ? lui demandai-je.

– Je me suis promené, répondit-il en m'adressant un clin d'œil qui provoqua un éclat de rire général.

J'observai Tom. Il mangeait du poulet chasseur et

riait comme tout le monde. Il paraissait tellement normal…

– Tu sors ce soir, Tom ? lui demandai-je.

– Pourquoi ?

Je m'efforçai de paraître désinvolte.

– Parce que je me disais qu'on pourrait peut-être aller au terrain de basket faire quelques paniers. Tu m'apprendrais de nouvelles passes, ce qui me permettrait de tenter à nouveau ma chance avec l'équipe du collège.

– Désolé, vieux, ce soir, j'ai quelque chose à faire.

– Quel genre de chose ? demandai-je.

– Se promener, certainement, remarqua m'man. Mange tes brocolis, Jake, c'est excellent pour toi. Ça contient des oligo-éléments et des vitamines qu'on ne trouve nulle part ailleurs.

– D'accord, m'man. Tu sais que j'adore prendre des vitamines.

Je pris le plus petit morceau de brocoli que je pus trouver dans mon assiette et essayai de l'avaler. Au fond, ce n'était pas pire qu'une araignée vivante.

– Qu'est-ce que tu disais que tu allais faire ce soir, Tom ? demandai-je à nouveau.

Il me regarda de travers.

– Tu contrôles mes activités, maintenant ? J'ai quelque chose à faire. Ça te suffit, petit frère ?

– Une fille, commenta mon père. Je connais ça, tu sais.

Non, papa, il ne s'agit pas d'une fille, avais-je envie de dire, mais d'un Bassin yirk. Ce que c'est qu'un Bassin yirk, maman ? Eh bien, c'est toute une histoire.

Je décidai de faire une dernière tentative. Je suppose qu'une partie de moi-même refusait encore de croire que Tom était maintenant un contrôleur.

– Peut-être que tu n'oses pas faire des paniers avec moi parce que tu as peur que je te batte.

– Voilà, c'est ça. Tu es satisfait ? ricana Tom.

Nos regards se croisèrent. Y avait-il, dans ces yeux, un signe quelconque ? Une trace de la créature égoïste, néfaste, qui les contrôlait ? Non. Je le regrettai.

Il n'y a aucun moyen de savoir qui est un Contrôleur et qui n'en est pas un. Aucun. C'est ce qui les rend si difficiles à combattre. Ils peuvent être n'importe qui, n'importe où.

Même une personne qu'on croit bien connaître. Une personne qu'on admire. Qu'on respecte. Qu'on aime.

Mes yeux se détournèrent de ceux de Tom et je regardai mon assiette.

Quelques minutes plus tard, il se leva pour sortir. Je savais où il allait. Après son départ, je montai téléphoner au premier étage, où mes parents ne risquaient pas de m'entendre, et j'appelai Marco.

– Il est en route, lui annonçai-je.

J'appelai Tobias et Rachel. J'essayai de joindre Cassie, mais je tombai sur sa mère.

– Elle n'est pas là. – Sa mère semblait soucieuse. – Elle n'est pas rentrée dîner. Elle était sortie nourrir quelques animaux et elle n'est pas revenue.

Mon estomac se noua.

– Elle a dû faire un petit tour de cheval, suggérai-je autant pour me rassurer que pour rassurer la mère de Cassie. Vous la connaissez.

– Tous les chevaux sont à l'écurie, dit-elle.

Je respirai deux fois à fond. Ce n'était pas normal. Qu'était-il arrivé à Cassie ?

– Je vais la chercher, proposai-je. Ne vous inquiétez pas. Elle a dû tomber sur quelque animal éclopé et voler à son secours. Vous la connaissez, répétai-je.

– Oui, je ne m'inquiète pas trop.

Ben voyons. Elle était à peu près aussi rassurée

que moi. Mais que faire ? Tout était prêt pour l'attaque du Bassin yirk et le sauvetage de Tom. Cassie était peut-être déjà au collège, en train de nous attendre.

Peut-être.

C'est avec un très mauvais pressentiment que je pédalai jusqu'au collège. Comme convenu, je rangeai mon vélo de l'autre côté de la rue avant de rejoindre Marco et Rachel.

– Cassie a disparu, annonçai-je. Et où est passé Tobias ?

Rachel leva un doigt vers le ciel. Le jour déclinait rapidement, mais j'aperçus Tobias décrivant des cercles au-dessus de nos têtes.

– Il est cinglé ou quoi ? criai-je. Il ne dispose que de deux heures, et on ne sait pas combien de temps ça va nous prendre !

– Il vaudrait peut-être mieux remettre ça jusqu'à ce qu'on sache ce qui est arrivé à Cassie, dit Rachel.

– Si ça se trouve, elle a tout simplement peur, remarqua Marco. Moi, en tout cas, j'ai peur…

– Possible, fis-je.

Ça ne m'étonnait qu'à moitié, mais il paraît qu'on ne sait jamais, avant la bataille, qui sera un héros et qui sera un froussard.

Je ne pouvais qu'espérer ne pas être un froussard, mais j'étais forcé de reconnaître que j'avais déjà la bouche sèche et que mon cœur battait à un rythme anormal. Alors que nous n'avions encore rien fait.

Tobias descendit du ciel en vol plané et se percha sur l'épaule de Rachel. Cela me surprit un peu. Pourquoi Tobias choisirait-il l'épaule de Rachel ? Et elle ne paraissait nullement contrariée. Elle frotta même sa joue contre lui.

< On y va ou pas ? > demanda Tobias.

Les choses ne démarraient pas du tout comme prévu. J'avais l'estomac de plus en plus noué, Cassie avait disparu, et Tobias avait déjà morphosé. Tout le monde me regardait, attendant que je prenne la décision.

– Allez, on y va, décrétai-je.

Le collège était fermé pour la nuit, mais Marco avait résolu ce petit problème. Il avait repéré, dans le laboratoire de science, une fenêtre qui ne fermait pas.

Cette fenêtre nous permit de nous introduire dans le laboratoire. Celui-ci n'était éclairé que par les dernières lueurs du crépuscule, qui faisaient scintiller les tubes à essai. Tobias entra en repliant ses ailes et se posa sur le bureau du professeur.

– Je vais jeter un coup d'œil, dis-je.

J'ouvris la porte le plus lentement possible et, par l'entrebâillement, observai le couloir obscur conduisant au cagibi du concierge. Je reculai aussitôt.

– Il y a quelqu'un ! Trois personnes entrent dans le cagibi.

– Des Contrôleurs, fit Rachel. Pour les Yirks, ça doit être l'heure du dîner.

Aucun de nous n'apprécia cette plaisanterie.

– Comment va-t-on entrer là-bas ? s'inquiéta Marco.

– Attendez un peu, reprit Rachel. Est-ce que les Contrôleurs se connaissent tous de vue ? Je veux dire qu'on pourrait être des Contrôleurs, nous aussi.

– Alors, on entre comme ça, l'air de rien, comme si on faisait partie de la famille ? demanda Marco. Tactique très subtile, Rachel. J'ai une meilleure idée : on se tue tout de suite et on n'en parle plus.

– Rachel a peut-être une bonne idée, dis-je.

– C'est une hypothèse, fit observer Marco. Une hypothèse extrêmement hypothétique. Et Tom ? Il saura bien que tu n'es pas un Contrôleur.

J'entrouvris à nouveau la porte et jetai un coup d'œil.

– Je pense que Tom est déjà descendu. D'ailleurs,

le couloir est maintenant désert. Je suppose qu'ils sont tous... Attendez, voilà quelqu'un.

Je plissai les paupières. Dans la pénombre, on distinguait mal les visages. Je vis compte qu'il y avait deux personnes, dont l'une portait un uniforme.

C'était le policier-Contrôleur. Et le prisonnier qu'il traînait sans ménagement était une jeune fille.

Soudain, je voulus être sûr de ce que je voyais.

– Tobias, j'ai besoin de tes yeux de faucon.

Tobias vint se poser sur mon épaule. Il tendit sa tête de rapace pour inspecter le couloir et rentra aussitôt.

< Oui, dit-il. C'est elle. >

J'eus l'impression que le sol se dérobait sous mes pieds. Je crois que je me serais effondré si Marco ne m'avait pas soutenu.

– Ils la tiennent ! murmurai-je. Les Contrôleurs. Ils tiennent Cassie !

CHAPITRE 22

– Quoi ? Qui tient Cassie ? balbutia Rachel.

– Le policier. Le Contrôleur, celui qui est venu à la ferme. Celui qui assistait à la réunion du Partage. Il l'a arrêtée. Il avait vu, à la réunion, qu'elle essayait de s'approcher des membres actifs.

Rachel se mit à grogner.

Nous n'avions pas encore appliqué notre plan, et toute l'affaire tournait déjà au désastre.

– Bon, déclarai-je soudain. On y va, comme l'a suggéré Rachel. Les Contrôleurs doivent être trop nombreux pour se connaître tous individuellement. Je veux dire que leur nombre s'accroît continuellement. Alors, il se pourrait qu'on soit de nouveaux Contrôleurs, hein ?

– Oh, non, gémit Marco.

– Tu as une meilleure idée ? criai-je.

– Non, répondit-il. Je crois qu'il faut y aller. Tenter notre chance. On fonce dans le tas tête baissée.

– Bon, alors tout le monde garde un air décontracté. Tobias, il est trop tard pour que tu démorphoses maintenant, mais arrange-toi pour qu'on ne te voie pas.

Rachel, Marco et moi sortîmes dans le couloir sombre. J'avais les jambes raides et les genoux flageolants. On aurait dit la créature de Frankenstein essayant de passer inaperçue.

Nous nous sommes dirigés vers le cagibi du concierge. Heureusement, le couloir était désert.

Une fois entré dans la petite pièce, je m'efforçai de me rappeler les manipulations qui ouvraient la porte secrète. Tourner le robinet vers la gauche, puis le deuxième crochet vers la droite.

La porte s'ouvrit toute grande.

C'était plus bruyant que la première fois. Ou alors, mes oreilles humaines avaient l'ouïe plus fine que mes oreilles de lézard. Un bruissement assourdi de clapotis évoquait les vagues se brisant sur la grève, mais c'était le seul bruit agréable. Les autres étaient horrifiants : des gémissements désespérés, des hurlements terrifiés, des éclats de rire tonitruants.

– Tu es sûr que c'est seulement un Bassin yirk ? me demanda Marco d'une voix angoissée. Si j'aperçois un type avec des cornes et une fourche, je me sauve.

Je franchis la porte. L'escalier étant abrupt et dépourvu de rampe, on avait l'impression qu'on allait piquer du nez à chaque marche.

Nous sommes descendus ensemble. La porte se referma automatiquement derrière nous.

Au début, je crois que je m'attendais à ce qu'il y ait une vingtaine de marches, mais celles-ci semblaient se succéder indéfiniment. Plus on en descendait, plus il y en avait. Les parois de terre battue firent bientôt place à du rocher, et on continua à descendre, à descendre. On avait l'impression que ces marches ne cesseraient jamais.

– Vraiment super, ces extraterrestres, chuchota Marco. Ils auraient quand même pu installer un ascenseur.

On rit un peu. Très peu.

Soudain, les murs de pierre s'écartèrent. Nous avions débouché dans une caverne gigantesque.

Et quand je dis gigantesque, cela signifie gigantesque. On aurait pu y construire un amphithéâtre, et il serait resté suffisamment de place pour bâtir deux

centres commerciaux. Cela ressemblait à une rotonde géante taillée dans la masse du rocher. Au point culminant de la voûte, on distinguait vaguement les contours d'une ouverture par laquelle il me sembla apercevoir des étoiles.

Sur le pourtour de la caverne, des escaliers semblables au nôtre surgissaient des parois rocheuses de tous les côtés pour rejoindre le sol.

Nous nous sommes regroupés au milieu des marches, dont les côtés étaient désormais à pic.

– C'est géant, dit Marco. Ça ne s'étend pas seulement sous le collège, mais sous la moitié de la ville. Ces escaliers doivent aboutir à une douzaine de portes dérobées. (Il secoua la tête.) Jake, ces gars-là ont truffé toute la région de passages secrets. Aïe, aïe, aïe. C'est pire... bien pire... Tellement plus grand...

J'éprouvais le même désespoir. Nous étions complètement fous. Ce n'était pas à un petit groupe d'extraterrestres nuisibles que nous nous attaquions. Pour édifier cette ville souterraine, il fallait que ces gens disposent de pouvoirs inimaginables.

Car c'était presque de cela qu'il s'agissait : une ville.

Il y avait des bâtiments et des hangars tout autour de la caverne et, au fond, des excavatrices et des pelleteuses travaillaient. Peints en jaune vif, ces engins à chenilles paraissaient incongrus dans ce cadre incroyable.

Et il y avait des extraterrestres partout, des Taxxons, d'Hork-Bajirs et d'autres créatures dépassant l'imagination. Mais, surtout, il y avait des humains. Beaucoup d'humains.

Au centre de la caverne était creusé un bassin, une sorte de petit lac parfaitement rond d'une trentaine de mètres de diamètre. Seulement, son eau n'était pas tout à fait de l'eau. Elle ondoyait comme du plomb en fusion, dont elle avait à peu près la couleur. Les clapotis que nous avions entendus provenaient du liquide du bassin, agité et projeté par des centaines d'êtres se déplaçant à grande vitesse sous la surface.

Je compris qu'il s'agissait de Yirks. Des Yirks sous leur forme naturelle de larves. Ils nageaient et batifolaient dans le bassin comme des gosses un jour de canicule.

Au bord du bassin se dressaient des cages. Ces cages contenaient des Hork-Bajirs et des êtres humains.

Certains humains appelaient au secours. D'autres pleuraient en silence. Quelques-uns attendaient, prostrés, ayant perdu toute espérance. Il y avait des adultes et des enfants, des hommes et des femmes. Plus d'une centaine d'humains enfermés à dix par cage.

Les Hork-Bajirs prisonniers étaient retenus à part, dans des cages plus robustes où ils tournaient en rond en hurlant et en brandissant leurs bras armés.

Je faillis me décourager. Il me semblait que mon cœur avait cessé de battre. Une horreur indicible émanait de cet endroit, et nous étions si peu nombreux, si faibles…

Au-dessous de nous, sur les marches, je voyais le policier-Contrôleur et Cassie. Il la tirait brutalement chaque fois qu'elle trébuchait. Ils étaient arrivés au pied de l'escalier.

– Je morphose, annonçai-je. Je vais lui arracher Cassie.

Marco posa sa main sur mon épaule.

– Le moment n'est pas encore venu, champion. Détends-toi.

< Cassie va bien, Jake, me rassura Tobias. Elle n'est pas blessée, seulement terrorisée. >

– Il n'a pas intérêt à lui faire du mal. Garde un œil sur eux, Tobias.

Deux jetées métalliques s'avançaient au ras du bassin. Sur l'une d'elles, des Hork-Bajirs-Contrôleurs escortaient courtoisement des files d'humains, d'Hork-Bajirs et de Taxxons.

C'était le poste de déchargement.

Un par un, les gens s'agenouillaient, se penchaient en avant et approchaient leur tête de la surface du bassin, aidés par les Hork-Bajirs.

Sous nos yeux, une femme s'inclina posément, le visage à quelques centimètres du liquide couleur de plomb. Un Hork-Bajir lui tint délicatement le coude pour l'empêcher de basculer.

Nous vîmes alors sortir de son oreille une chose qui rampait, glissait, se tortillait.

Un Yirk.

– Oh non... gémit Rachel comme si elle avait la nausée. Oh non. Non.

Lorsque le Yirk se fut entièrement extirpé de la tête de la pauvre femme, il tomba dans le bassin et disparut sous la surface ondulante. Aussitôt, la femme se mit à hurler :

– Lâchez-moi, sales brutes ! Laissez-moi partir !

Vous ne pouvez pas continuer à m'imposer ça ! Je ne suis pas une esclave ! Laissez-moi partir !

Deux Hork-Bajirs l'empoignèrent, la traînèrent jusqu'à la cage la plus proche et l'y enfermèrent.

– Au secours ! cria la femme. Aidez-moi, je vous en supplie ! Aidez-les tous !

CHAPITRE 23

– Au secours ! Sauvez-nous, par pitié !

Nous avions entendu de tels appels à l'aide tout en descendant les escaliers, mais nous étions maintenant suffisamment proches pour leur donner un visage humain. Et ce cri m'alla droit au cœur.

Il y avait une deuxième jetée métallique : le poste de chargement. Les hôtes étaient sortis des cages dans lesquelles ils étaient enfermés afin que les Yirks puissent réintégrer leurs cerveaux. Le processus était des plus simples : on empoignait l'hôte à bras-le-corps, qu'il s'agisse d'un humain ou d'un Hork-Bajir, et on lui plongeait la tête dans le bassin.

Certains hôtes se débattaient en hurlant, d'autres se contentaient de pleurer, mais tous étaient impuissants. Lorsque leurs têtes ressortaient du bassin, les larves se tortillaient encore dans leurs oreilles.

Au bout de quelques minutes, les Yirks reprenaient le contrôle de leurs hôtes, qui se calmaient et repartaient, à nouveau esclaves des Yirks.

C'était du travail à la chaîne, une chaîne monstrueuse allant du poste de déchargement aux cages et des cages au poste de chargement, où les malheureuses victimes défilaient à une cadence accélérée.

Mais il existait également un endroit que nous n'avions pas remarqué plus tôt. Là, des humains et des Hork-Bajirs attendaient leur tour dans des fauteuils confortables, en buvant des boissons fraîches et en regardant la télévision. Des Taxxons rampaient à leurs pieds comme d'énormes asticots épineux.

Lorsque j'entendis le murmure assourdi d'un poste de télévision, j'eus la certitude d'entendre également des rires. Les humains qui regardaient le programme s'amusaient beaucoup.

< Ce sont les hôtes volontaires, expliqua Tobias. Des collaborateurs. >

– Qu'est-ce que tu racontes ? lui demandai-je.

< Tu te rappelles ce que nous a dit l'Andalite. Beaucoup d'humains et d'Hork-Bajirs sont hôtes parce qu'ils le veulent bien. Les Yirks les ont persuadés de les accueillir. >

– Je ne peux pas le croire, intervint Rachel. Aucun être humain n'admettrait ça. Personne n'acceptera jamais de se laisser dominer.

– Certaines personnes ont une mentalité d'esclave, Rachel, dit Marco. Désolé de te décevoir.

< Les Yirks leur font croire qu'abriter l'un des leurs résoudra tous leurs problèmes. Je pense que c'est la raison d'être du Partage. Les gens s'imaginent qu'ils se débarrasseront de tous leurs soucis en devenant des êtres différents. >

– Par exemple, en passant tout leur temps dans la peau d'un faucon, insinua Marco.

Tobias ne trouva rien à répondre. Déployant ses ailes, il prit son envol et s'éloigna.

– Tobias ! Reviens ! lui criai-je.

– Il faut y aller, dit Rachel. Ça fait trop longtemps qu'on est plantés là à observer. Et toi, Marco, arrête de provoquer Tobias, compris ? On a besoin de tout le monde.

Tobias revint en piquant droit sur nous.

< Cassie ! Elle est sur la jetée d'implantation. Ils s'apprêtent à en faire un hôte. >

Avec mes yeux humains, je voyais mal ce qui se passait dans la pénombre pourpre. Je distinguais seu-

lement l'uniforme du policier et la silhouette menue qui l'accompagnait.

– Tu vois Tom ? demandai-je à Tobias.

Il battit puissamment des ailes et prit de la hauteur. Je l'aperçus planant très haut au-dessus du bassin, puis il descendit sur nous en piqué.

< Je le vois >, me répondit-il.

J'hésitai à poser la question suivante. Je n'étais pas certain de souhaiter connaître la réponse.

– Il est dans une cage ? Ou il est… volontaire ?

< Il est dans une cage. Il traite les gardes hork-bajirs de tous les noms. >

– Ça ne m'étonne pas !

Je savais que Tom n'aurait jamais été volontaire et qu'il s'était sûrement débattu avant d'être vaincu.

< Cassie approche du bout de la jetée, nous avertit Tobias. Il ne nous reste que quelques minutes avant qu'ils ne la contrôlent. >

Nous courûmes alors nous cacher derrière un hangar. Marco m'entraîna derrière le coin d'un mur en me serrant d'assez près pour que je l'entende chuchoter :

– Écoute, Jake. Avant qu'on y aille, il y a une chose qu'il faut que tu me promettes.

Je devinai ce qu'il allait me demander.

– Si je dois y rester, d'accord. Mais ne les laisse pas s'emparer de moi. Ne les laisse pas introduire une de ces larves dans ma tête.

– T'en fais pas…

– Hé, vous ! cria une voix, une voix humaine. Vous deux ! Qui êtes-vous ?

Je me retournai. Il n'y avait qu'un seul humain, mais accompagné d'un énorme Hork-Bajir à l'air soupçonneux et, de l'autre côté, d'un Taxxon. L'homme n'avait pas aperçu Rachel, que le coin du mur lui dissimulait, mais il nous avait vus parler à voix basse, Marco et moi, et cela avait dû lui sembler suspect.

– Nous ? demanda Marco. Qui on est ? Et vous, qui vous êtes ?

– Emparez-vous d'eux, ordonna l'homme.

L'Hork-Bajir s'avança vers nous et le Taxxon rampa en agitant ses dizaines de pattes filiformes, en faisant rouler ses quatre yeux de gelée rouge et en ouvrant et fermant sa bouche répugnante.

Je savais qu'il fallait que je morphose, mais j'étais paralysé par la peur.

C'est alors que je vis Rachel. Elle s'était faufilée derrière les Contrôleurs. Et elle était en train de devenir très, très volumineuse.

CHAPITRE 24

Rachel grossissait à vue d'œil. D'énormes oreilles plates surgirent brusquement des côtés de sa tête. Son nez s'allongea, s'allongea jusqu'à devenir plus long que tout son corps ne l'était au départ. Ses bras et ses jambes devinrent aussi volumineux que des troncs d'arbre, et de sa bouche jaillirent deux gigantesques dents recourbées.

Ma cousine Rachel mesurait maintenant près de quatre mètres de haut et devait peser autour de sept tonnes.

Le plus curieux, c'est que j'en étais ravi. Le rire triomphant de Rachel résonna dans ma tête.

< Ha ha ! J'y suis arrivée ! >

L'Hork-Bajir et le Taxxon se rapprochaient.

La petite queue maigre de Rachel commença à s'agiter. Ses pattes de devant grattèrent le sol sableux de la caverne. Elle leva sa tête massive en brandissant des défenses longues d'un mètre.

Le Taxxon fut le premier à la repérer, avec ses yeux rouges dans tous les sens, mais je crois qu'il ne sut pas comment réagir.

Rachel chargea. Une seconde avant, elle était parfaitement immobile. Maintenant, elle fonçait comme un camion de trente tonnes lancé à toute vitesse.

L'Hork-Bajir fut rapide. Il fit volte-face et la lame de son coude cisailla la trompe de Rachel.

Mais ça ne suffit pas.

Rachel était lancée, et ce n'était pas une égratignure qui allait l'arrêter.

< Pauvre petite chose ! s'exclama Rachel outragée. Tu oses t'attaquer à MOI ! >

Et l'Hork-Bajir disparut, écrasé par un pied monstrueux. Il beugla, mais Rachel barrit nettement plus bruyamment.

Le Taxxon essaya de s'enfuir, ce qui prouve qu'ils peuvent eux aussi se sentir en danger.

Ce qui prouve également que les éléphants sont plus rapides qu'on ne croit. Ils peuvent même être très rapides.

Le pied de Rachel se posa sur la partie arrière du

Taxxon. Les pattes filiformes cédèrent et craquèrent comme du bois sec. Un liquide jaune, visqueux, suinta de la chair écrasée du gros ver.

Rachel lui passa entièrement sur le corps, laissant derrière elle un gros tas de matière gluante absolument répugnant. La puanteur du Taxxon écrasé était telle, que je faillis m'évanouir.

L'homme n'avait pas bougé.

– Un éléphant ! s'exclama-t-il comme s'il ne pouvait en croire ses yeux.

Rachel lui enroula sa trompe autour de la taille et je l'entendis dire :

< Parfaitement, un éléphant. >

L'homme hurla. Il devait commencer à croire ses yeux.

Rachel le lança en l'air. Je n'ai jamais su où il était retombé.

– Vite ! criai-je à Marco. Morphose !

– Beau travail, Rachel, fit Marco. Rappelle-moi de ne jamais te mettre en colère.

Je me concentrai sur le tigre. Je savais que son schéma génétique était inscrit en moi. Je l'imaginai couché dans son enclos au Parc, souhaitant retourner dans la jungle, en train de poursuivre et d'abattre sa proie, et je me dis qu'il ne serait peut-être pas fâché de l'usage que j'allais faire de son ADN. Cette caverne n'était pas exactement la jungle, mais il faudrait s'en contenter.

< Voilà d'autres Hork-Bajirs ! > avertit Rachel.

Et elle se retourna pour les affronter, défenses en avant.

Je sentis l'animorphe prendre forme. Des poils me poussèrent sur la figure, une queue jaillit de mon arrière-train, mes bras grossirent et se renflèrent. Ce qu'ils étaient gros ! Ma chemise craqua. Je tombai accroupi sur mes mains qui étaient devenues mes pattes de devant.

La force !

Ce fut électrique, une sorte d'explosion au ralenti. Je sentis la puissance du tigre m'envahir.

Je regardai sortir de mes chétives mains humaines de longues griffes cruellement recourbées, des griffes faites pour lacérer, pour déchiqueter. Je sentis des crocs acérés pousser dans ma bouche.

Mes yeux percèrent l'obscurité comme si on était en plein jour.

Mais, surtout, j'avais la force ! La force incroyable, à l'état brut.

Je n'avais peur de RIEN!

Des Hork-Bajirs couraient vers moi en fendant l'air avec les lames de leurs bras.

J'ouvris la bouche et je rugis. Les Hork-Bajirs stoppèrent net.

« Eh oui, mes petits amis Hork-Bajirs, songea la partie humaine de mon cerveau. Le moment est venu d'affronter le tigre. »

Les muscles de mes pattes arrière se contractèrent. Je montrai mes crocs et poussai un nouveau rugissement si puissant que le sol trembla.

Et je bondis, toutes griffes dehors.

CHAPITRE 25

Je fendis l'air et percutai l'Hork-Bajir le plus proche en pleine poitrine.

Il s'écroula sous le choc, roula sur lui-même et tenta de se relever. Il était rapide. Je l'étais encore plus.

Il frappa avec son bras tranchant. J'esquivai le coup. Ma patte gauche l'atteignit tellement vite que je la vis à peine, et creusa quatre sillons sanglants dans l'épaule du monstre.

Un autre Hork-Bajir ! Lames de poignet, lames de coude et griffes sifflèrent. On aurait cru voir un combat de tondeuses à gazon !

Mais je fus encore le plus rapide. Je ne me souviens même pas de la suite de la bagarre. Tout ce que je revois, c'est l'image du tigre – de moi – lacérant et mordant. J'étais une tornade de pelage roux strié de noir.

L'Hork-Bajir tomba à la renverse. Je rugis. Les autres firent demi-tour et s'enfuirent.

Du coin de l'œil, je vis Rachel soulever un Hork-Bajir avec ses défenses et le lancer comme une poupée par-dessus son épaule.

Et puis j'aperçus Marco. Sa frêle carcasse était en train de prendre la forme du corps monumental de Big Jim.

< Appelez-moi King, triompha Marco. King Kong. >

C'est vrai, comme l'avait dit Cassie, que les gorilles sont des animaux très doux, pacifiques et placides. C'est également vrai qu'ils sont costauds. Vraiment costauds.

Finalement, l'homme, comparé au gorille, n'est qu'un assemblage de cure-dents.

C'est vrai aussi que les Hork-Bajirs sont des créatures imposantes. Ils mesurent plus de deux mètres de haut et sont taillés pour la bagarre.

Mais Marco lança son poing de gorille et atteignit le plus proche Hork-Bajir au creux de l'estomac. L'Hork-Bajir s'écroula. Brutalement.

Je rugis. Rachel barrit. Marco souleva sa victime et la lança de côté comme une poupée de chiffon.

Le reste des Hork-Bajirs fit demi-tour et s'enfuit.

< On y va ! criai-je. Avant qu'ils ne se réorganisent et contre-attaquent ! >

Nous avons chargé. Rachel fonça tout droit en pulvérisant sur son passage quelques hangars et autres constructions légères.

Marco la suivit en faisant de petits bonds, en balançant ses énormes bras et en cognant sur tout ce qui lui barrait le passage. Et ce qu'il renversait ne se relevait pas...

Quant à moi je courais entre les deux en cherchant un Contrôleur assez fou pour me tenir tête.

Nous avons atteint les cages. Les humains et les Hork-Bajirs qui y étaient enfermés eurent un mouvement de recul. Ils avaient presque aussi peur de nous que des Contrôleurs. Il faut reconnaître qu'une équipe de secours composée d'un éléphant, d'un gorille et d'un tigre n'était pas exactement ce qu'ils avaient espéré.

Marco commença à secouer la serrure de l'une des cages.

Elle céda, et la porte s'ouvrit. Marco eut un comportement très humain pour rassurer les prisonniers : il fit une petite courbette, puis tendit la main vers eux en repliant ses doigts pour les inviter à sortir.

Tom fut le premier dehors. Il paraissait effrayé, furieux et déterminé. Je m'apprêtais à lui envoyer un message télépathique pour lui dire qui j'étais lorsque Rachel hurla brusquement dans ma tête.

< Jake ! cria-t-elle. Regarde ! Cassie ! >

Cassie avait presque atteint l'extrémité de la jetée d'implantation. Les gardes hork-bajirs et taxxons continuaient leur ignoble tâche. Pendant que je regardais, un nouvel humain fut plongé la tête la première dans le Bassin yirk.

< C'est Cassie la prochaine ! > m'exclamai-je.

< T'inquiète pas pour Tom, dit Marco, on s'en charge. Vas-y. Vas-y avant qu'ils ne s'en prennent à elle ! >

Je n'hésitai qu'une seconde, pendant laquelle mille pensées me traversèrent la tête.

Par la suite, il m'arriverait de repenser à cet instant. De me dire que peut-être… si seulement…

Je m'élançai. Il fallait que je la rejoigne !

Sous mes yeux, les deux Hork-Bajirs de la jetée prirent Cassie par les bras.

– Nooooon ! hurla-t-elle.

Je filais comme le vent, bondissant par-dessus les Taxxons, esquivant les Hork-Bajirs. Je volais presque.

Mais je ne pouvais pas voler vraiment. Pas comme Tobias.

Je l'aperçus très haut, tout en haut de la caverne. Et il piqua.

Comme un boulet de canon. Les serres en avant.

Tobias percuta le premier Hork-Bajir à près de quatre-vingts kilomètres à l'heure et remonta d'un coup d'aile en laissant l'extraterrestre cramponné à la bouillie gluante où se trouvaient, il y a une seconde encore, ses yeux.

Cassie n'en demandait pas davantage. Elle se libéra d'une secousse et remonta la jetée en courant.

Je finis par arriver et m'occupai du second Hork-Bajir-Contrôleur.

< Morphose ! criai-je à Cassie. Morphose et retourne à l'escalier ! >

Elle regarda les humains et les Hork-Bajirs qui faisaient la queue derrière elle.

– Sauvez-vous ! Sauvez-vous tous !

Ils lui obéirent. Cassie se faufila au milieu de la foule paniquée. Un instant plus tard, une tête brune à crinière noire apparut. Cassie avait morphosé en cheval et galopait vers l'escalier.

Je la suivis en contournant le bassin pour rejoindre

Marco, Rachel, Tobias et tous les hôtes qu'ils avaient libérés des cages.

Les Contrôleurs commençaient à s'organiser. Un groupe de Taxxons arrivait en rampant pour nous barrer la route, à Cassie et à moi. Maintenant, Taxxons et Hork-Bajirs étaient armés.

< On passe par-dessus ! > criai-je à Cassie lorsque nous nous sommes trouvés face à l'escouade de Taxxons.

< OK, on passe par-dessus ! > me répondit-elle.

Je bondis. Elle sauta. Côte à côte, nous avons franchi la colonne de Taxxons sidérés. Ils voulurent décharger sur nous leurs lanceurs portatifs de rayons Dracon, mais trop tard. Les rayons crépitèrent derrière notre dos, et nous avons filé comme le vent.

L'imposante masse grise de Rachel se dressa devant nous. L'escalier était proche. J'aperçus Marco en compagnie de Tom.

On allait réussir ! Et, à ce moment-là, il sortit avec grâce d'un groupe d'Hork-Bajirs.

Il paraissait presque inoffensif, dans son corps d'Andalite. Une aimable créature à l'aspect mi-cerf mi-humain, recouverte d'un pelage bleuâtre et dotée de deux tentacules terminées par des yeux.

Vysserk Trois ne semblait nullement inquiet, contrairement aux Hork-Bajirs, aux Taxxons et... à nous-mêmes.

Vysserk Trois avait un corps d'Andalite et, comme les Andalites, il possédait la faculté de morphoser. Et il avait parcouru l'univers entier en collectionnant les schémas génétiques de monstres ne ressemblant à rien de ce qui existait sur Terre.

Un Taxxon vint parler à Vysserk Trois. Son langage avait une curieuse tonalité, une sorte de sifflement.

– Ssssweer trrreeesswew eeeesstrew.

Vysserk Trois garda le silence, se contentant de m'observer avec les fentes verticales qui lui servaient d'yeux.

< Cet imbécile de Taxxon vous prend pour des bêtes sauvages, commença Vysserk Trois. Il demande si ses frères et lui peuvent vous manger. (Il rit silencieusement.) Mais je sais que vous n'êtes pas des animaux. Ainsi, vous autres Andalites n'êtes pas tous morts lorsque j'ai détruit votre vaisseau. >

Il me fallut quelques secondes pour comprendre ce qu'il voulait dire. Et, brusquement, je devinai. Bien sûr ! Il nous prenait pour des Andalites. Il avait senti que nous n'étions pas de véritables animaux, mais des Ani-

morphs, et il savait que les Andalites étaient les seuls à posséder la faculté de morphoser.

< Je vous félicite d'être parvenus jusqu'ici. Mais cela ne vous avancera à rien. Parce qu'aujourd'hui, mes vaillants combattants andalites, votre heure a sonné. L'heure de mourir. >

Il commença à morphoser à son tour.

< J'ai acquis ce corps sur la quatrième lune de la deuxième planète d'une étoile mourante. Il vous plaît ? >

Je compris que j'avais eu tort d'espérer.

On ne réussirait pas.

CHAPITRE 26

La créature émergea du corps de Vysserk Trois. Aussi haute qu'un arbre, encore plus volumineuse que Rachel. Huit pattes massives. Huit longs bras maigres, se terminant chacun par une pince à trois doigts. Et de l'endroit d'où sortirent les derniers bras, surgirent les têtes.

Les têtes. Au pluriel. Il y en avait huit. Cette créature avait un faible pour le chiffre huit.

Les Hork-Bajirs-Contrôleurs eux-mêmes reculèrent, ne tenant pas à se trouver à proximité de Vysserk Trois quand il choisissait cette animorphe-là.

Mais les Taxxons se rapprochèrent, s'agglutinèrent autour de leur maître comme des chiens affamés en quête des restes d'un repas.

Je fus pétrifié de terreur. Anéanti. Même le tigre qui était en moi ne savait comment réagir.

J'avais commencé à croire qu'avec nos corps morphosés, nous pouvions affronter n'importe quoi, mais il n'était pas question de s'attaquer à ce monstre. Et de survivre.

< Fuyez ! criai-je aux autres. Par l'escalier ! >

Cassie poussa du museau deux des prisonnières des cages et secoua la tête. Celles-ci comprirent ce qu'elle voulait et grimpèrent sur son dos. Aussitôt, elle partit au galop vers l'escalier.

< C'est ça, fuyez ! s'exclama Vysserk Trois. La chasse n'en sera que plus amusante. >

Et il frappa.

De l'une de ses têtes jaillit une boule de feu tourbillonnante. Une boule de feu qui fonça comme une fusée.

Elle fendit l'air et s'écrasa sur le dos de l'une des femmes qui chevauchaient Cassie.

– Aaaaaahhh !

La femme tomba et se roula par terre en hurlant pour éteindre les flammes. Cassie continua à galoper avec une seule cavalière. Elle atteignit le pied de l'escalier.

< Une petite séance de tir ! > ricana Vysserk Trois.

De ses différentes têtes, il lança boule de feu sur

boule de feu. L'un des projectiles me frotta l'épaule, un autre toucha Rachel à l'oreille, la faisant hurler dans ma tête et barrir de terreur.

Il y avait du feu partout.

< Faut qu'on se tire de là ! > s'exclama Marco.

< Oui, courez ! Courez à l'escalier ! répétai-je. Ne t'arrête pas, Rachel ! Dégage le passage ! >

Nous étions un grand nombre à nous ruer vers l'escalier, mais les Taxxons nous avaient encerclés. Quiconque échappait à Vysserk Trois était refoulé par les Taxxons.

J'aperçus Tom du coin de l'œil. Il se battait à coups de poing contre deux Taxxons qui le serraient de près. Il ne pouvait pas leur faire grand mal, mais il essayait quand même.

Rachel fonça sur les Taxxons et en écrasa un sous ses énormes pattes. Marco saisit l'autre à bras-le-corps et le plia en deux jusqu'à ce qu'il se rompe en répandant ses entrailles putrides.

Rachel avait atteint les premières marches et s'était arrêtée. Un corps d'éléphant peut rendre de nombreux services, mais il est inutilisable pour grimper un escalier.

< Démorphose ! > criai-je à Rachel.

Elle commença presque immédiatement à rétrécir, mais on n'avait pas le temps d'attendre que sa transformation soit achevée. Rachel monta l'escalier sous la forme d'un magma gris et rose, mi-humain mi-éléphant, titubant sur d'étranges jambes et traînant une trompe rabougrie qui transformait son joli visage en un masque hideux.

Nous avons couru. Mais c'était sans espoir.

Le temps que nous ayons gravi quelques dizaines de marches, il ne restait plus à nos côtés qu'une poignée d'humains et deux Hork-Bajirs libérés des cages. Tous les autres avaient été capturés ou brûlés.

Une boule de feu explosa devant moi. Je grondai, tout en continuant à battre en retraite.

Nous avions parcouru une trentaine de mètres lorsque les deux derniers Hork-Bajirs délivrés furent abattus par les boules de feu de Vysserk Trois. Ils finirent dans les flammes.

Vysserk Trois montait maintenant les marches. Tout seul. Il était si volumineux qu'il tenait à peine dans l'escalier, et je compris que lorsque nous atteindrions l'endroit où les parois se resserraient, nous n'aurions plus rien à craindre de lui.

En levant les yeux, je constatai que Cassie était

presque en sûreté au-dessus de nous, avec une seule cavalière humaine.

Nous autres, accompagnés de Tom et d'un nombre tristement réduit de rescapés des cages, étions groupés.

Vysserk Trois commença à arroser l'escalier, au-dessus de nous, d'une véritable pluie de feu. Nous étions pris au piège : devant nous, le feu ; derrière nous, Vysserk Trois en personne.

– Non, dit une voix familière. Non, espèce de répugnante charogne. Cette fois, tu ne l'emporteras pas.

C'était Tom. Tout seul, sans autre arme que ses poings, il s'élança sur Vysserk Trois.

L'un des bras de Vysserk Trois s'abattit sur lui.

« Tom ! » m'écriai-je.

Mon corps de tigre protesta en rugissant de toutes ses forces, mais le bruit fut couvert par les gémissements des humains et les sifflements des Taxxons.

Je vis Tom chanceler sous le coup de Vysserk Trois.

Je le vis tomber dans le vide du haut des marches.

Je devins à moitié fou.

Avant même d'avoir réalisé ce que je faisais, je me retrouvai sur Vysserk Trois, labourant sa chair de mes griffes. Je grimpai derrière l'une de ses huit têtes.

Le tigre qui était en moi savait comment s'y prendre. J'enfonçai mes crocs dans le cou du monstre, serrai mes puissantes mâchoires et me cramponnai.

Une autre tête se retourna et me lança une boule de feu. J'esquivai la première. La seconde me brûla le flanc. Je m'enfuis d'un bond.

Vysserk Trois rugit de douleur. Je rugis de haine.

Puis nous avons couru, couru et gravi ces maudites marches avec une centaine de cauchemars aux trousses.

CHAPITRE 27

Nous avons couru. Épuisés, brûlés, terrifiés, nous avons couru.

Vysserk Trois n'avait commis qu'une seule erreur : avec son animorphe, il était trop encombrant pour pouvoir nous poursuivre beaucoup plus haut dans l'escalier.

Lorsque nous avons enfin été en sécurité, j'entendis Vysserk Trois crier :

< Je vous tuerai tous, Andalites. Vous pouvez filer, ça n'est rien. Je vous tuerai tous ! >

Le fait que nous ayons pu fuir n'était pas rien. Nous n'avions peut-être pas détruit Vysserk Trois, mais nous étions sortis vivants de la bagarre, nous, les Animorphs. Le score final s'élevait très exactement à un humain libéré : la jeune fille qui s'était échappée de cet enfer sur le dos de Cassie.

Et Cassie s'en sortait bien. Le policier qui l'avait arrêtée était le seul Contrôleur à savoir son nom, l'endroit où elle habitait et le fait qu'elle avait espionné le Partage. Et Cassie nous assura que nous n'avions plus rien à craindre de lui. Elle refusa de nous en dire plus.

Quant à Tom... mon frère.

Tom n'a pas été libéré.

Ce soir-là, alors que, sous le coup de la terreur, je frissonnais dans mon lit, claquant des dents et tremblant de tous mes membres, je l'avais entendu rentrer à la maison.

Il n'a jamais su que c'était moi le tigre. Il n'a jamais su à quel point j'ai été près de le libérer. Il était à nouveau un Contrôleur. Le Yirk avait repris possession de son cerveau.

Cassie, Marco, Rachel et moi avions tous réussi à atteindre le sommet de l'escalier. Nous nous étions retrouvés dans le couloir d'une école qui ne nous paraîtrait plus jamais la même.

Et Tobias ? Il a survécu, lui aussi.

Le jour se levait presque lorsque je fus réveillé par des battements d'aile contre ma fenêtre.

J'allai l'ouvrir, et Tobias vola dans ma chambre.

– Tu t'en es sorti, dis-je. Eh bien, mon vieux, tu peux

te vanter de m'avoir fait peur. Je croyais que tu étais toujours coincé là-dessous. Je me disais que, dans cette caverne, tu trouverais probablement un endroit où te cacher, mais je savais que tu étais resté morphosé longtemps, et je craignais que tu ne puisses pas démorphoser sans te faire repérer. Je suis drôlement content de te voir.

< Moi aussi, je suis content de te voir, Jake. Comment vont les autres ? >

– Ils sont vivants, répondis-je. Vivants. Je pense qu'il n'y a que ça qui compte.

< Oui, c'est la seule chose importante. >

– Allez, Tobias, démorphose. Tu peux rester ici. Je te laisserai même mon lit. Je suis tellement fatigué que je dormirais sur une planche à clous.

Il ne me répondit pas, et je suppose que, au fond de mon cœur, j'avais compris depuis longtemps. Seulement, je ne voulais pas me l'avouer.

– Allez, Tobias, répétai-je. Démorphose.

< Jake… >

– Il est temps de redevenir humain, mon vieux. Assez volé pour cette nuit.

< Je suis resté caché un moment dans la caverne, m'expliqua-t-il. Ils ne m'ont pas vu, mais j'étais obligé

de rester caché jusqu'à ce que je puisse filer. Jake... ça a duré trop longtemps. Beaucoup trop longtemps. Plus de deux heures. >

Je le regardai en silence, ses yeux perçants comme des lasers, son bec crochu, ses serres tranchantes. Et ses ailes, les longues ailes puissantes qui lui permettaient de voler.

< J'ai l'impression que, dorénavant, c'est comme ça que je serai. >

Je sentis des larmes couler le long de mes joues, mais Tobias reprit :

< Ça ne fait rien, Jake. Comme tu disais, on est vivants. >

Je m'approchai de la fenêtre et contemplai les étoiles. Quelque part là-haut, autour de l'un de ces scintillants astres froids, se trouvait le monde des Andalites. Quelque part là-haut se trouvait... l'espoir.

< Ils viendront, dit Tobias. Les Andalites viendront. En attendant jusque-là... >

Je hochai la tête et essuyai mes larmes.

– Oui, dis-je. En attendant, on se battra.

L'aventure continue...

Ils sont parmi nous !
Ne Les laissez pas vous contrôler, lisez...

Le visiteur

Animorphs n°2

Et découvrez dès maintenant
ce qui vous attend !

« Ça n'était pas normal. Les époux Chapman avaient tous les deux quelque chose d'anormal.

Je revins dans l'entrée. Un escalier menait aux chambres à coucher. D'ici, j'entendais mieux Melissa. Je me concentrai, en m'efforçant d'ignorer les sons fascinants des oiseaux sous l'avant-toit. Je me concentrai sur les sons humains de la voix de Melissa.

– ... divisé par la racine carrée de... non, attends. Non, racine carrée de... Ça tombe juste ?

Elle faisait ses devoirs. Ses devoirs de maths, visiblement.

« Je devrais moi aussi être en train de les faire », songeai-je, avec une pointe de culpabilité. Au lieu de cela, je rôdais comme une voleuse dans la maison de mon amie pour l'espionner, elle et ses parents.

J'essayai de trouver une horloge. Il fallait que je sache l'heure. A neuf heures quarante-cinq, mes deux heures seraient écoulées. Je voulais avoir quitté cette animorphe et regagné mon corps bien avant. Avec un peu de chance, j'aurais encore le temps de rentrer à la maison faire mon devoir de maths et lire peut-être un chapitre ou deux pour le cours d'histoire.

J'aperçus une pendule. Elle était sur le rebord de la cheminée. Le cadran disait huit heures moins trois. J'avais tout mon temps.

Un mouvement brusque !

Ah, c'était simplement Chapman qui se levait.

La partie chat de mon individu n'éprouvait pas le moindre intérêt pour Chapman. Mais je m'obligeai à lui prêter attention. C'était important de l'observer. C'était pour cette raison que j'étais là.

C'est lui la proie ? semblait demander le cerveau du chat.

Oui. Oui, dis-je au cerveau du chat.

Chapman est notre proie. »